Alexandre Simões

Almanaque da Seleção

Histórias, estatísticas e curiosidades do Brasil na Copa do Mundo de 1930 a 2006

ALMANAQUE DA SELEÇÃO
Copyright © 2010 by Alexandre Simões
Todos os direitos autorais reservados e protegidos pela Lei 9.610 de 19.02.1998.

EDITOR
Nissim Yehezkel

COORDENAÇÃO DO PROJETO "PAIXÃO ENTRE LINHAS"
Débora Resende
marketing@editoraleitura.com.br

CAPA
Roberto Lanznaster

PROJETO GRÁFICO
Vanderlucio Vieira

DIAGRAMAÇÃO
Roberto Lanznaster

REVISÃO
Luciara Assis / Raquel Teles Yehezkel

Dados Internacionais de Catalogação na Publicação (CIP)
Câmara Brasileira do Livro, SP, Brasil

Simões, Alexandre
  Almanaque da seleção : histórias, estatísticas e curiosidades do Brasil na Copa do Mundo de 1930 a 2006 / Alexandre Simões. — Belo Horizonte : Editora Leitura, 2010.

1. Copa do Mundo (Futebol) 2. Copa do Mundo (Futebol) História. I. Título.

10-03300   CDD-796.3346609

Índices para catálogo sistemático:
  1. Copa do mundo : Futebol : História   796.3346609

ISBN 978-85-7358-947-4

Nenhuma parte desta publicação poderá ser reproduzida sem a prévia autorização da editora, por escrito, sob pena de constituir violação do copyright (Lei 5.988).

Impresso no Brasil
Belo Horizonte – abril – 2010

Todos os direitos reservados à
© Editora Leitura Ltda.
Rua Pedra Bonita, 870 Barroca • Cep 30431-065
Belo Horizonte • MG • Brasil
Telefax: (31) 3379-0620
www.editoraleitura.com.br
www.blogpaixaoentrelinhas.com
leitura@editoraleitura.com.br

SUMÁRIO

COPAS

1930 - URUGUAI 05
1934 - ITÁLIA 11
1938 - FRANÇA 15
1950 - BRASIL 23
1954 - SUÍÇA 31
1958 - SUÉCIA 37
1962 - CHILE 45
1966 - INGLATERRA 53
1970 - MÉXICO 59
1974 - ALEMANHA 67
1978 - ARGENTINA 75
1982 - ESPANHA 83
1986 - MÉXICO 91
1990 - ITÁLIA 99
1994 - ESTADOS UNIDOS 105
1998 - FRANÇA 113
2002 - COREIA DO SUL / JAPÃO 121
2006 - ALEMANHA 129

JOGADORES 137
ESTATÍSTICAS 251
REFERÊNCIAS BIBLIOGRÁFICAS 263

**Uruguai
1930**

A dificuldade de comunicação da época e o bairrismo das imprensas de Rio de Janeiro e São Paulo acabaram por impedir que a Seleção Brasileira tivesse força máxima na primeira Copa do Mundo, disputada em 1930, no Uruguai.

A Confederação Brasileira de Desportos (CBD) tinha sua sede no Rio de Janeiro, e o presidente da entidade, Renato Pacheco, nomeou uma comissão técnica formada apenas por cariocas (Píndaro de Carvalho, Egas de Mendonça e Gilberto de Almeida Rego)".

O presidente da Associação Paulista de Esportes Atléticos (APEA), Elpídio de Paiva Azevedo, não gostou da decisão e exigiu a presença de um paulista (Jorge Caldeira) na comissão técnica da Seleção Brasileira. A queda de braço entre os dois lados já durava desde o início de 1930 e pegava fogo nas páginas dos jornais.

Diante da negativa de inclusão de um paulista na comissão técnica, a APEA impediu os jogadores paulistas de se apresentarem à Seleção. E o Brasil foi ao Uruguai sem sua maior estrela na época, Friedenreich, que defendia o São Paulo.

Naquele momento, o futebol paulista era mais forte que o carioca. A maior prova disso é que, na lista ideal feita pela comissão técnica da CBD, quinze jogadores eram de clubes de São Paulo e oito do Rio de Janeiro.

Com uma equipe formada apenas por jogadores que atuavam em clubes cariocas – o único paulista foi Araken, do Santos, mas inscrito pelo Flamengo – o Brasil caiu ainda na primeira fase na Copa do Mundo de 1930.

Em 14 de julho, foi derrotado por 2 a 1 pela Iugoslávia, que ficou com a vaga do Grupo 2 nas semifinais, vencendo a Bolívia por 4 a 0 três dias depois.

A goleada de 4 a 0 do Brasil sobre a Bolívia, em 20 de julho, no encerramento da chave, foi um amistoso.

Uruguai 1930

Primeira fase

BRASIL 1 X 2 IUGOSLÁVIA

BRASIL
Joel; Brilhante e Itália; Hermógenes, Fausto e Fernando Giudicelli; Poly, Nilo, Araken, Preguinho e Theóphilo.
Técnico: Píndaro de Carvalho

IUGOSLÁVIA
Jaksic; Ivkovic e Mihajlovic; Arsenijevic, Stevanovic e Dokic; Tirnanic, Marjanovic, Ivica Bek, Vujadinovic e Sekulic.
Técnico: Bosko Simonovic

Data: 14 de julho de 1930
Local: Parque Central (Montevidéu)
Gols: Tirnanic, aos 21, e Ivica Bek, aos 30 minutos do primeiro tempo; Preguinho, aos 17 minutos do segundo tempo
Arbitragem: Aníbal Tejada (Uruguai), auxiliado por Ricardo Vallarino (Uruguai) e Thomas Balvay (França)
Público: 5.000

BRASIL 4 X 0 BOLÍVIA

BRASIL
Velloso; Zé Luiz e Itália; Hermógenes, Fausto e Fernando Giudicelli; Benedito, Russinho, Carvalho Leite, Preguinho e Moderato.
Técnico: Píndaro de Carvalho

BOLÍVIA
Bermudez; Durandal e Chavarria; Sainz, Diógenes Lara e Valderrama; Eduardo Reyes Ortiz, Bustamante, Rafael Méndez, Alborta e René Fernández.
Técnico: Ulises Saucedo

Data: 20 de julho de 1930
Local: Centenário (Montevidéu)
Gol: Moderato, aos 37 minutos do primeiro tempo; Preguinho, aos 12, Moderato, aos 28, e Preguinho, aos 38 minutos do segundo tempo
Arbitragem: Thomas Balvay (França), auxiliado por Francisco Mateucci (Uruguai) e Gaspar Vallejo (México)
Público: 1.200

Todos os convocados

Jogador	Posição	Clube	Jogos	Minutos	Gols	E
Joel	goleiro	América-RJ	1	90	(2)	0
Velloso	goleiro	Fluminense	1	90	0	0
Brilhante	zagueiro	Vasco	0	0	0	0
Itália	zagueiro	Vasco	2	180	0	0
Zé Luiz	zagueiro	São Cristóvão	1	90	0	0
Fortes	zagueiro	Fluminense	0	0	0	0
Hermógenes	zagueiro	América-RJ	2	180	0	0
Benedito	zagueiro	Botafogo	1	90	0	0
Pamplona	médio	Botafogo	0	0	0	0
Benevenuto	médio	Flamengo	0	0	0	0
Ivan Mariz	médio	Fluminense	0	0	0	0
Fausto	médio	Vasco	2	180	0	0
Oscarino	médio	Ipiranga-RJ	1	90	0	0
Fernando	médio	Fluminense	2	180	0	0
Poly	atacante	Americano	1	90	0	0
Nilo	atacante	Botafogo	1	90	0	0
Doca	atacante	São Cristóvão	0	0	0	0
Manoelzinho	atacante	Goytacaz	0	0	0	0
Araken	atacante	CBD	1	90	0	0
Carvalho Leite	atacante	Botafogo	1	90	0	0
Russinho	atacante	Vasco	1	90	0	0
Preguinho	atacante	Fluminense	2	180	3	0
Moderato	atacante	Flamengo	1	90	2	0
Theóphilo	atacante	São Cristóvão	1	90	0	0

Curiosidades

Maravilha negra
Apesar da fraca campanha no Uruguai, sem conseguir passar da primeira fase, o Brasil conseguiu colocar um jogador na Seleção do Mundial. Foi o volante Fausto, do Vasco, que encantou a imprensa internacional com sua categoria e passes precisos. Foi por isso que ganhou o apelido de Maravilha Negra.

Cartola bom de tiro
A Confederação Brasileira de Desportos (CBD), que dirigia os esportes brasileiros, inclusive o futebol, em 1930, mandou para o Uruguai, como chefe da delegação brasileria, o atirador Afrânio Costa, o Paraná. Ele foi o ganhador da primeira medalha olímpica para o País em 1920, em Antuérpia, tendo conquistado a prata na categoria pistola livre.

Testemunhas
A partida em que o Brasil venceu a Bolívia por 4 a 0, em 20 de julho de 1930, no encerramento da participação das duas seleções no Mundial, foi um amistoso de luxo, pois as duas equipes já estavam eliminadas da Copa. A vaga do Grupo 2 havia ficado com a Iugoslávia, que venceu suas duas primeiras partidas. No confronto foi registrado o menor público da história da Seleção Brasileira em Mundiais. Foram apenas 1.200 torcedores no gigantesco Estádio Centenário.

Pai do preguinho
Autor do primeiro gol brasileiro em Copas, na derrota de 2 a 1 para a Iugoslávia, e primeiro artilheiro do Brasil num Mundial, com três gols, o atacante Preguinho (João Coelho Netto), era filho do famoso escritor Coelho Netto, que contava aos amigos uma história de arrancar gargalhadas. Ele dizia que após a Copa de 1930, enquanto caminhava por uma rua do Rio de Janeiro, um grupo de garotos interrompeu uma pelada porque um deles havia gritado: "Espera o pai do Preguinho passar". Coelho Netto dizia que, apesar das dezenas de livros publicados, ele tinha virado o pai do Preguinho.

Itália
1934

Mais uma vez a Seleção Brasileira não conseguiu ir à Copa do Mundo com força máxima. E em 1934, no Mundial da Itália, a situação foi ainda mais complicada que quatro anos antes no Uruguai. O Brasil passava pelo momento de transição do amadorismo para o profissionalismo em seu futebol, e isso acabou impedindo a formação de um time forte.

Em 1933 foi fundada a Federação Brasileria de Futebol (FBF), que logo ganhou a adesão dos principais clubes do Rio de Janeiro e São Paulo. Entre os grandes, o único que seguia fiel ao amadorismo, e filiado à Confederação Brasileira de Desportos (CBD), era o Botafogo.

O problema é que a Federação Internacional de Futebol Associado (Fifa) reconhecia a CBD como a entidade que organizava o futebol no Brasil. E coube a ela organizar a Seleção Brasileira para a disputa da Copa do Mundo de 1934.

Pela primeira vez a equipe cruzava o Atlântico para jogar no Velho Mundo. Foram quase duas semanas de uma viagem cansativa, a bordo do navio Conte de Biancamano. Os treinamentos tinham que ser improvisados no convés, e logicamente os jogadores perderam muito da condição física.

A participação brasileira no Mundial da Itália se resumiu a uma partida. A primeira fase já era no sistema de mata-mata e a derrota de 3 a 1 para a Espanha, em 27 de maio, em Gênova, eliminou o Brasil. Nessa partida, Leônidas da Silva, que brilharia intensamente quatro anos depois, na França, marcou o seu primeiro gol em uma Copa do Mundo. Um detalhe é que o navio que levou a delegação brasileira à Itália só atracou no País da Bota em 24 de maio, apenas três dias antes do confronto contra os espanhóis.

Itália 1934

Primeira fase

BRASIL 1 X 3 ESPANHA

BRASIL	ESPANHA
Pedrosa; Sylvio Hoffmann e Luiz Luz; Tinoco, Martim Silveira e Canalli; Luizinho, Waldemar de Britto, Armandinho, Leônidas da Silva e Patesko. **Técnico**: Luís Augusto Vinhais	Zamora; Siunaga e Quinococes; Cilaurren, Muguerza e Marculeta; Lafuente, Iraragorri, Lángara, Lecue e Gorostiza. **Técnico**: Amedeo Garcia Salazar

Data: 27 de maio de 1934
Local: Estádio Luigi Ferraris (Gênova)
Gols: Iraragorri, aos 18, e Lángara aos 27 e 36 minutos do primeiro tempo; Leônidas da Silva, aos 10 minutos do segundo tempo
Arbitragem: Alfred Birlem (Alemanha), auxiliado por Ettore Carminati (Itália) e Mihaly Ivancsics (Hungria)
Público: 21.000

Curiosidades

Descobridor do rei
Na única partida da Seleção Brasileira esteve em campo, Waldemar de Britto, que entrou mesmo para a história do futebol 21 anos depois da Copa da Itália. Foi ele o responsável pela ida de Pelé para o Santos. Só um detalhe: na partida contra a Espanha, ele perdeu um pênalti, defendido pelo goleiro Zamora, aos 25 minutos do segundo tempo.

Excursão
Com o caixa em baixa e apenas uma partida disputada na Copa de 1934, a CBD aproveitou a viagem à Europa, e a Seleção fez uma excursão pelo Velho Mundo após a eliminação no Mundial. E no primeiro jogo, em 3 de junho de 1934, em Belgrado, levou o maior número de gols em uma única partida, na sua história, perdendo por 8 a 4 para a Iugoslávia.

Dividindo o convés

Antes de chegar à Itália, o navio Conte de Biancamano, que levou a delegação brasileira, atracou no porto de Barcelona. E quem entrou a bordo foi justamente a Seleção Espanhola, a adversária do Brasil na primeira fase.

Robertão

O goleiro da Seleção Brasileira no único jogo disputado pela equipe na Copa do Mundo de 1934 ganhou maior projeção no futebol depois que parou de jogar. Pedrosa, que era do Botafogo e sofreu os três gols da Espanha, era Roberto Gomes Pedrosa, que fez sucesso como árbitro e depois se tornou presidente da Federação Paulista de Futebol (FPF). Ele dava nome ao Robertão, torneio que começou como Rio-São Paulo e depois passou a contar com equipes de outros Estados.

Todos os convocados

Jogador	Posição	Clube	Jogos	Minutos	Gols	E
Pedrosa	goleiro	CBD	1	90	(3)	0
Germano	goleiro	Botafogo	0	0	0	0
Sylvio Hoffmann	zagueiro	Botafogo	1	90	0	0
Luiz Luz	zagueiro	Botafogo	1	90	0	0
Otacílio	zagueiro	Botafogo	0	0	0	0
Ariel	médio	Botafogo	0	0	0	0
Tinoco	médio	CBD	1	90	0	0
Martim Silveira	médio	Botafogo	1	90	0	0
Canalli	médio	Botafogo	1	90	0	0
Waldir	médio	CBD	0	0	0	0
Carvalho Leite	atacante	Botafogo	0	0	0	0
Luizinho	atacante	CBD	1	90	0	0
Waldemar de Britto	atacante	CBD	1	90	0	0
Armandinho	atacante	CBD	1	90	0	0
Leônidas da Silva	atacante	CBD	1	90	1	0
Patesko	atacante	CBD	1	90	0	0
Átila	atacante	Botafogo	0	0	0	0

França
1938

Pela primeira vez o Brasil conseguiu levar sua força máxima para uma Copa do Mundo. Não havia disputa entre paulistas e cariocas, e o profissionalismo já estava definitivamente implantado no futebol brasileiro. As esperanças aumentavam pelo fato de o técnico Adhemar Pimenta ter à sua disposição uma série de craques, como Domingos da Guia, Zezé Procópio, Romeu, Perácio, Tim, e nossa maior estrela, Leônidas da Silva.

O sistema de mata-mata desde a primeira fase foi mantido para o Mundial da França. Assim, a partida contra a Polônia, em 5 de junho de 1938, em Estrasburgo, a primeira em que a Seleção usou a camisa azul numa Copa, poderia novamente decretar a eliminação do Brasil em apenas 90 minutos, como havia acontecido quatro anos antes na Itália.

Mas a Seleção começou a construir uma história diferente. Depois de um emocionante empate em 4 a 4 no tempo normal, o Brasil ficou com a vaga nas quartas de final fazendo 2 a 1 na prorrogação, 6 a 5 no placar agregado. O desafio seguinte era a Tchecoslováquia. O primeiro jogo, uma verdadeira batalha, com expulsões e contusões dos dois lados, terminou empatado em 1 a 1, depois de 120 minutos de bola rolando. Dois dias depois, o Brasil ficou com a vaga nas semifinais, vencendo por 2 a 1.

Mas a seleção perdeu Leônidas da Silva, machucado, e seu substituto, Niginho, que tinha deixado a Lazio, da Itália, sem cumprir todo o seu contrato e estava em situação irregular.

O Brasil perdeu a semifinal por 2 a 1, mas não se abateu. Na disputa do terceiro lugar, apenas três dias depois, já contando novamente com Leônidas da Silva, venceu a Suécia, por 4 a 2, em Bordeaux.

França 1938

Primeira fase

BRASIL 6 X 5 POLÔNIA

BRASIL
Batatais; Domingos da Guia e Machado; Zezé Procópio, Martim Silveira e Afonsinho; Lopes, Romeu, Leônidas da Silva, Perácio e Hércules.
Técnico: Adhemar Pimenta

POLÔNIA
Madejski; Syczpaniak e Galecki; Gora, Erwin Nyc e Ewald Dytko; Piec, Piontek, Szerfke, Wilimowski e Wodarz.
Técnico: Josef Kaluza

Data: 5 de junho de 1938
Local: Estádio Meinau (Estrasburgo)
Gols: Leônidas da Silva, aos 18, Szerfke, aos 23, Romeu, aos 25, e Perácio, aos 44 minutos do primeiro tempo; Wilimowski, aos 8 e 14, Perácio, aos 26, e Wilimowski, aos 44 minutos do segundo tempo; Leônidas da Silva, aos 3 e 14 minutos do primeiro tempo da prorrogação; Wilimowski, aos 13 minutos do segundo tempo da prorrogação
Arbitragem: Ivan Eklind (Suécia), auxiliado por Louis Poissant (França) e Ernest Kissenberger (França)
Público: 5.000

Quartas de final

BRASIL 1 X 1 TCHECOSLOVÁQUIA

BRASIL
Walter Goulart; Domingos da Guia e Machado; Zezé Procópio, Martim Silveira e Afonsinho; Lopes, Romeu, Leônidas da Silva, Perácio e Hércules.
Técnico: Adhemar Pimenta

TCHECOSLOVÁQUIA
Planicka; Burger e Daucik; Kostalec, Boucek e Kopecky; Jan Riha, Simunek, Ludl, Nejedly e Puc.
Técnico: Josef Zeman

Data: 12 de junho de 1938
Local: Estádio Parc Lescure (Bordeaux)
Gols: Leônidas da Silva, aos 30 minutos do primeiro tempo; Nejedly, aos 20 minutos do segundo tempo
Arbitragem: Pal Von Hertzka (Hungria), auxiliado por Giuseppe Scarpi (Itália) e Charles de la Salle (França)
Expulsões: Zezé Procópio e Machado (Brasil); Jan Riha (Tchecoslováquia
Público: 19.000

BRASIL 2 X 1 TCHECOSLOVÁQUIA

BRASIL
Walter Goulart; Jaú e Nariz; Britto, Brandão e Argemiro; Roberto, Luizinho, Leônidas da Silva, Tim e Patesko.
Técnico: Adhemar Pimenta

TCHECOSLOVÁQUIA
Burkert; Burger e Daucik; Kostalek, Boucek e Ludl; Horak, Senecky, Kreuz, Kopecky e Rulc.
Técnico: Josef Zeman

Data: 14 de junho de 1938
Local: Estádio Parc Lescure (Bordeaux)
Gols: Kopecky, aos 30 minutos do primeiro tempo; Leônidas da Silva, aos 11, e Roberto, aos 18 minutos do segundo tempo
Arbitragem: George Capdeville (França), auxiliado por Paul Marenco (França) e Ernest Kissenberger (França)
Público: 22.000

Semifinal

BRASIL 1 X 2 ITÁLIA

BRASIL
Walter Goulart; Domingos da Guia e Machado; Zezé Procópio, Martim Silveira e Afonsinho; Lopes, Luizinho, Romeu, Perácio e Patesko.
Técnico: Adhemar Pimenta

ITÁLIA
Olivieri; Foni e Rava; Serantoni, Andreolo e Locatelli; Biavati, Meazza, Piola, Ferrari e Colaussi.
Técnico: Vittorio Pozzo

Data: 16 de junho de 1938
Local: Estádio Velodrome (Marselha)
Gols: Colaussi, aos 6, Meazza, aos 15, e Romeu, aos 42 minutos do segundo tempo
Arbitragem: Hans Wuethrich (Suíça), auxiliado por Alois Beranek (Áustria) e Paul Marenco (França)
Público: 33.000

Disputa do 3º lugar

BRASIL 4 X 2 SUÉCIA

BRASIL
Batatais; Domingos da Guia e Machado; Zezé Procópio, Martim Silveira e Afonsinho; Roberto, Romeu, Leônidas da Silva, Perácio e Patesko.
Técnico: Adhemar Pimenta

SUÉCIA
Abrahamsson; Ivar Eriksson e Erik Nilsson; Almgren, Linderholm e Svanström; Johansson, Persson, Nyberg, Harry Andersson e Ake Andersson.
Técnico: Jozef Nagy

Data: 19 de junho de 1938
Local: Estádio Parc Lescure (Bordeaux)
Gols: Johansson, aos 28, Nyberg, aos 38, e Romeu, aos 44 minutos do primeiro tempo; Leônidas da Silva, aos 18 e 29, e Perácio, aos 35 minutos do segundo tempo
Arbitragem: Jean Langenus (Bélgica), auxiliado por D. Olive (França) e Ferdinand Valprede (França)
Público: 12.000

Todos os convocados

Jogador	Posição	Clube	Jogos	Minutos	Gols	E
Batatais	goleiro	Fluminense	2	210	(7)	0
Walter	goleiro	Flamengo	3	300	(4)	0
Domingos da Guia	zagueiro	Flamengo	4	420	0	0
Machado	zagueiro	Fluminense	4	419	0	1
Jaú	zagueiro	Corinthians	1	90	0	0
Nariz	zagueiro	Botafogo	1	90	0	0
Zezé Procópio	médio	Botafogo	4	344	0	1
Martin Silveira	médio	Botafogo	3	330	0	0
Afonsinho	médio	São Cristóvão	4	420	0	0
Brandão	médio	Corinthians	2	180	0	0
Argemiro	atacante	Portuguesa Santista	1	90	0	0
Britto	médio	América-RJ	1	90	0	0
Lopes	atacante	Corinthians	3	330	0	0
Romeu	atacante	Fluminense	4	420	3	0
Leônidas da Silva	atacante	Flamengo	4	420	7	0
Perácio	atacante	Botafogo	4	420	3	0
Hércules	atacante	Fluminense	2	420	0	0
Roberto	atacante	São Cristóvão	2	180	1	0
Luizinho	atacante	Palestra Itália-SP	2	180	0	0
Niginho	atacante	Vasco	0	0	0	0
Tim	atacante	Fluminense	1	90	0	0
Patesko	atacante	Botafogo	3	270	0	0

Curiosidades

Diamante Negro
A grande presença na Copa do Mundo da França, da qual foi artilheiro, com sete gols, transformou Leônidas da Silva na primeira estrela internacional do futebol brasileiro. Na volta ao Brasil, ele recebeu da Lacta 20 contos de réis, uma quantia considerável na época, para que seu apelido, Diamante Negro, desse nome a um chocolate da empresa.

Nas ondas do rádio
Pela primeira vez, uma Copa do Mundo era irradiada para o Brasil. A façanha coube ao locutor Leonardo Gagliano Netto, da Rádio Cruzeiro do Sul, que passou pela sua voz as emoções vividas pela Seleção Brasileira nos gramados franceses.

Um gol a menos
Depois de passar 68 anos sendo considerado pela Fifa o artilheiro da Copa do mundo de 1938, com oito gols, Leônidas viu sua marca diminuir em novembro de 2006. Numa revisão das suas estatísticas, a entidade verificou o que vários historiadores da Seleção Brasileira já sabiam. O Diamante Negro fez sete e não oito gols no Mundial de 1938. No jogo-desempate das quartas de final, contra a Tchecoslováquia, a Fifa considerava Leônidas o autor dos dois gols brasileiros. Um deles foi marcado, na verdade, por Roberto.

A fuga de Niginho
Integrante da tradicional família Fantoni, que faz parte da história do Cruzeiro, Niginho seguiu o mesmo caminho de irmãos e primos e foi defender a Lazio, de Roma, em julho de 1932. Em maio de 1935, ele, que era filho de italianos, foi convocado pelo exército italiano para lutar na Guerra da Abissínia. Desertou e voltou para o Brasil, retornando ao Palestra Itália-MG. Depois passou pelo Palestra Itália-SP (atual Palmeiras) e, quando foi convocado para a Copa, era jogador do Vasco. Ele não pôde substituir Leônidas da Silva contra a Itália, pois a federação italiana fez uma representação junto à Fifa, afirmando que a situação do jogador era irregular, por ele não ter cumprido o contrato com a Lazio.

**Brasil
1950**

Depois de 12 anos sem ser disputada, por causa da Segunda Guerra Mundial, a Copa do Mundo voltou em 1950, e o Brasil foi a sede da competição. Com um time forte, principalmente no seu setor ofensivo, que contava com jogadores como Zizinho, Ademir Menezes e Baltazar, a Seleção Brasileira teve um início conturbado na competição.

Mais uma vez, o bairrismo entre cariocas e paulistas influiu na equipe, não na convocação, mas na formação da equipe na primeira fase. Na estreia, a goleada de 4 a 0 sobre o México, que inaugurou o Maracanã, ainda inacabado, o trio de médios da equipe de Flávio Costa foi formado por Ely e Danilo, do Vasco, e Bigode, do Flamengo. O jogo seguinte foi no Pacaembu, contra o Suíça, e os três deram lugar a Bauer, Ruy e Noronha, todos do São Paulo, no empate por 2 a 2.

Só na última partida da primeira fase, a vitória de 2 a 0 sobre a Iugoslávia, no Maracanã, que garantiu a passagem da seleção para a fase final, o Brasil teve o trio titular, formado por Bauer, Danilo e Bigode.

Outro problema foi a revolta dos paulistas pelo fato de o Brasil disputar as três partidas da fase final no Maracanã. A explicação da CBD era que a capacidade de arrecadação do novo estádio carioca era muito maior. E isso se confirmou. As três partidas da Seleção no quadrangular decisivo tiveram 465.508 pagantes. Só como comparação, na Copa anterior, em 1938, na França, os 18 jogos levaram 376 mil pessoas aos estádios.

A festa só não foi completa pela derrota do Brasil para o Uruguai na última rodada, quando precisava apenas do empate para ficar com o título. O Maracanazzo, nome que os uruguaios deram à façanha da Celeste Olímpica, é sem dúvida a maior tragédia da história da Seleção Brasileira.

Primeira fase

BRASIL 4 X 0 MÉXICO

BRASIL	MÉXICO
Barbosa; Augusto e Juvenal; Ely, Danilo e Bigode; Maneca, Ademir Menezes, Baltazar, Jair Rosa Pinto e Friaça. **Técnico**: Flávio Costa	Carbajal; Zetter e Montematjor; Rodrigo Ruiz, Mario Ochoa e Jose Antonio Roca; Septien, Hector Ortiz, Casarin, Mario Perez e Lupe Velásquez. **Técnico**: Octavio Vial

Data: 24 de junho de 1950
Local: Maracanã (Rio de Janeiro)
Gols: Ademir Menezes, aos 30 minutos do primeiro tempo; Jair Rosa Pinto, aos 20, Baltazar, aos 26, e Ademir Menezes, aos 34 minutos do segundo tempo
Arbitragem: George Reader (Inglaterra), auxiliado por Benjamin Griffiths (País de Gales) e George Mitchell (Escócia)
Público: 81.649

BRASIL 2 X 2 SUÍÇA

BRASIL	SUÍÇA
Barbosa; Augusto e Juvenal; Bauer, Ruy e Noronha; Alfredo, Maneca, Baltazar, Ademir Menezes e Friaça. **Técnico**: Flávio Costa	Stuber; Neury e Bocquet; Lusenti, Eggimann e Quinche; Tamini, Bickel, Friedländer, Bader e Fatton. **Técnico**: Franco Andreoli

Data: 28 de junho de 1950
Local: Pacaembu (São Paulo)
Gol: Alfredo, aos 3, Fatton, aos 17, e Baltazar, aos 32 minutos do primeiro tempo; Fatton, aos 43 minutos do segundo tempo
Arbitragem: Ramon Azon Roma (Espanha), auxiliado por Sergio Bustamante (Chile) e Cayetano De Nicola (Paraguai)
Público: 42.032

BRASIL 2 X 0 IUGOSLÁVIA	
BRASIL	**IUGOSLÁVIA**
Barbosa; Augusto e Juvenal; Bauer, Danilo e Bigode; Maneca, Zizinho, Ademir Menezes, Jair Rosa Pinto e Chico. **Técnico**: Flávio Costa	Mrkusic; Horvat e Stankovic; Zeljko Cajkovski, Jovanovic e Dzajic; Vukas, Mitic, Tomasevic, Bobek e Zlatko Cajkovski **Técnico**: Milorad Avsenijevic

Data: 1º de julho de 1950
Local: Maracanã (Rio de Janeiro)
Gols: Ademir Menezes, aos 4 minutos do primeiro tempo; Zizinho, aos 24 minutos do segundo tempo
Arbitragem: Benjamin Griffiths (País de Gales), auxiliado por Alois Beranek (Áustria) e José da Costa Vieira (Portugal)
Público: 142.429

Quadrangular final

BRASIL 7 X 1 SUÉCIA	
BRASIL	**SUÉCIA**
Barbosa; Augusto e Juvenal; Bauer, Danilo e Bigode; Maneca, Zizinho, Ademir Menezes, Jair Rosa Pinto e Chico. **Técnico**: Flávio Costa	Karl Svensson; Lennart Samuelsson e Erik Nilsson; Sune Andersson, Knut Nordhal e Ingvar Gärd; Stig Sundqvist, Karl-Erik Palmer, Hans Jeppsson, Lennart Skoglund e Stefan Nilsson. **Técnico**: George Raynor

Data: 9 de julho de 1950
Local: Maracanã (Rio de Janeiro)
Gols: : Ademir Menezes, aos 17 e 36, e Chico, aos 39 minutos do primeiro tempo; Ademir Menezes, aos 7 e 13, Sune Andersson, aos 22, Maneca, aos 40, e Chico, aos 43 minutos do segundo tempo
Arbitragem: Arthur Ellis (Inglaterra), auxiliado por Prudêncio Garcia (Estados Unidos) e Charles de la Salle (França)
Público: 138.886

BRASIL 6 X 1 ESPANHA

BRASIL	ESPANHA
Barbosa; Augusto e Juvenal; Bauer, Danilo e Bigode; Friaça, Zizinho, Ademir Menezes, Jair Rosa Pinto e Chico.	*Ramallets; Gabriel Alonso e Mariano Gonzalvo; José Gonzalvo, Parra e Puchades; Basora, Igoa, Zarra, Painzo e Gainza.*
Técnico: *Flávio Costa*	**Técnico**: *Guillermo Eizaguirre*

Data: 13 de julho de 1950
Local: Maracanã (Rio de Janeiro)
Gol: Ademir Menezes, aos 15, Jair Rosa Pinto, aos 21, e Chico, aos 31 minutos do primeiro tempo; Chico, aos 10, Ademir Menezes, aos 12, Zizinho, aos 22, e Igoa, aos 26 minutos do segundo tempo
Arbitragem: Reginald Leafe (Inglaterra), auxiliado por George Mitchel (Escócia) e José da Costa Vieira (Portugal)
Público: 152.772

BRASIL 1 X 2 URUGUAI

BRASIL	URUGUAI
Barbosa; Augusto e Juvenal; Bauer, Danilo e Bigode; Friaça, Zizinho, Ademir Menezes, Jair Rosa Pinto e Chico.	*Maspoli; Juan Gonzalez e Tejera; Gambetta, Obdulio Varela e Andrade; Ghiggia, Julio Perez, Omar Miguez, Schiaffino e Moran.*
Técnico: *Flávio Costa*	**Técnico**: *Juan Lopez*

Data: 16 de julho de 1950
Local: Maracanã (Rio de Janeiro)
Gols: : Friaça, aos 2, Schiaffino, aos 21, e Ghiggia, aos 34 minutos do segundo tempo
Arbitragem: George Reader (Inglaterra), auxiliado por Arthur Ellis (Inglaterra) e George Mitchell (Escócia)
Público: 173.850

Todos os convocados

Jogador	Posição	Clube	Jogos	Minutos	Gols	E
Barbosa	goleiro	Vasco	6	540	(6)	0
Castilho	goleiro	Fluminense	0	0	0	0
Augusto	zagueiro	Vasco	6	540	0	0
Juvenal	zagueiro	Flamengo	6	540	0	0
Nílton Santos	zagueiro	Botafogo	0	0	0	0
Nena	zagueiro	Internacional	0	0	0	0
Bauer	médio	São Paulo	5	450	0	0
Danilo Alvim	médio	Vasco	5	450	0	0
Bigode	médio	Flamengo	5	450	0	0
Rui	médio	São Paulo	1	90	0	0
Noronha	médio	São Paulo	1	90	0	0
Alfredo II	médio	Vasco	1	90	1	0
Ely	médio	Vasco	1	90	0	0
Zizinho	atacante	Bangu	4	360	2	0
Maneca	atacante	Vasco	4	360	1	0
Ademir Menezes	atacante	Vasco	6	540	9	0
Jair	atacante	Vasco	5	450	2	0
Chico	atacante	Vasco	4	360	4	0
Friaça	atacante	São Paulo	4	360	1	0
Baltazar	atacante	Corinthians	2	180	2	0
Adãozinho	atacante	Internacional	0	0	0	0
Rodrigues	atacante	Palmeiras	0	0	0	0

Curiosidades

Artilheiro recordista
Pela segunda vez a Seleção Brasileira tinha o artilheiro de uma Copa do Mundo. Ademir Menezes, na época jogador do Vasco, não só repetiu o feito de Leônidas da Silva, 12 anos antes, na França, como superou o Diamante Negro. O Queixada fez 9 gols no Mundial de 1950 e até hoje ainda é o brasileiro que mais marcou numa única edição da competição.

Presente de grego
O goleiro Barbosa, titular da Seleção Brasileira na Copa do Mundo de 1950, conviveu com um drama para o resto da sua vida. No início da década de 1990 chegou a declarar que a maior pena por um crime no Brasil é de 30 anos, mas que ele já cumpria a dele havia mais de 40. Em 1969, quando os administradores do Maracanã foram trocar as traves do estádio, resolveram dar ao ex-goleiro a baliza onde ele tinha sofrido o gol de Ghiggia, uma atitude que foi motivo de muita gozação na época.

Multidão
O jogo final entre Brasil e Uruguai registrou o maior público em um jogo de Copa do Mundo em todos os tempos. Os registros oficiais são de 173.850 pagantes no estádio, mas, como alguns portões foram arrombados por torcedores, a estimativa é de que mais de 200 mil pessoas tenham presenciado o Maracanazzo.

Touradas de Madri
Na segunda partida do Brasil na fase final, quando o time já goleava a Espanha, no segundo tempo (o placar final foi 6 a 1), a torcida que lotava o Maracanã embalou o time dentro de campo cantando a música "Touradas em Madri", uma marchinha carnavalesca de João de Barro.

Suíça
1954

O Maracanazzo deixou marcas no futebol brasileiro. A Seleção ficou quase dois anos sem jogar. Quando entrou em campo novamente, a camisa branca, usada como uniforme número 1 até a derrota para o Uruguai, tinha sido aposentada. Em seu lugar, o Brasil vestia amarelo.

O time que foi disputar a Copa da Suíça era forte. Nele se destacavam os defensores Djalma Santos e Nílton Santos, o armador Didi, e o atacante Julinho Botelho, revelação da Portuguesa de Desportos.

Na estreia, a Seleção Brasileira não teve maiores problemas. Goleou o México por 5 a 0, e a vitória foi encerrada com um golaço de Julinho. Pelo regulamento do Mundial, a primeira fase tinha quatro grupos de quatro equipes. Mas cada seleção jogava apenas duas vezes.

Por isso, a segunda partida do Brasil, contra a Iugoslávia, que já tinha vencido a França por 1 a 0 na primeira rodada, foi a última na primeira fase. O empate por 1 a 1, no tempo normal e na prorrogação, classificou os dois times para as quartas de final.

Faltou sorte ao Brasil no sorteio que definiu os confrontos das quartas de final. Coube à Seleção encarar justamente a forte Hungria, que tinha marcado 17 gols nas suas duas partidas da primeira fase, fazendo 9 a 0 na Coreia do Sul e 8 a 3 na Alemanha.

O confronto contra os húngaros ficou conhecido como a Batalha de Berna. Durante a partida, que foi vencida pela Hungria por 4 a 2, Nílton Santos, Humberto Tozzi e Boszik foram expulsos por agressões. Mas briga mesmo aconteceu depois do apito final. O técnico húngaro Gusztav Sebes levou uma garrafada, assim como o zagueiro Pinheiro, que dizem ter sido atingido pelo craque Puskas que, machucado, não jogou. A pancadaria seguiu nos vestiários do Estádio Wankdorf, num triste espetáculo de dois grandes times de futebol.

Suíça 1954

Primeira fase

BRASIL 5 X 0 MÉXICO

BRASIL
Castilho; Djalma Santos, Pinheiro e Nílton Santos; Bauer e Brandãozinho; Julinho, Didi, Baltazar, Pinga e Rodrigues.
Técnico: Zezé Moreira

MÉXICO
Mota; Narciso Lopez, Juan Gómez e Jorge Romo; Cardenas e Avalos; Alfredo Torres, Rivera, Lamadrid, Balcazar e Arellano.
Técnico: Antonio Lopez Herranz

Data: 16 de junho de 1954
Local: Estádio Charmilles (Genebra)
Gols: Baltazar, aos 23, Didi, aos 30, e Pinga, aos 34 e 43 minutos do primeiro tempo; Julinho, aos 24 minutos do segundo tempo
Arbitragem: Raymon Wyssling (Suíça), auxiliado por Ernest Schonholzer (Suíça) e José da Costa Vieira (Portugal)
Público: 13.000

BRASIL 1 X 1 IUGOSLÁVIA

BRASIL
Castilho; Djalma Santos, Pinheiro e Nílton Santos; Bauer e Brandãozinho; Julinho, Didi, Baltazar, Pinga e Rodrigues.
Técnico: Zezé Moreira

IUGOSLÁVIA
Beara; Branko Stankovic e Crnkovic; Zlatko Cajkovski, Horvat e Boskov; Milos Milutinovic, Mitic, Zebec, Vukas e Dvornic.
Técnico: Aleksandar Tirnanic

Data: 19 de junho de 1954
Local: Estádio La Pontaise (Lausanne)
Gol: AZebec, aos 3, e Didi, aos 24 minutos do segundo tempo
Arbitragem: Charlie Faultless (Escócia), auxiliado por Arthur Ellis (Inglaterra) e Albert Von Gunter (Suíça)
Público: 40.000

Quartas de final

BRASIL 2 X 4 HUNGRIA

BRASIL	HUNGRIA
Castilho; Djalma Santos, Pinheiro e Nílton Santos; Bauer e Brandãozinho; Julinho, Didi, Índio, Humberto Tozzi e Maurinho.	Grocsis; Buzansky, Lantos e Boszik; Lorant, Zakarias e Hidegkuti; Joszef Toth, Kocsis, Czibor e Mihaly Toth.
Técnico: Zezé Moreira	**Técnico**: Gusztav Sebes

Data: 27 de junho de 1954
Local: Estádio Wankdorf (Berna)
Gols: Hidegkuti, aos 4, Kocsis, aos 7, e Djalma Santos, aos 18 minutos do primeiro tempo; Lantos, aos 15, Julinho, aos 20, e Kocsis, aos 43 minutos do segundo tempo
Arbitragem: Arthur Ellis (Inglaterra); William Ling (Inglaterra) e Raymon Wyssling (Suíça)
Expulsões: Nílton Santos e Humberto Tozzi (Brasil); Boszik (Hungria)
Público: 40.000

Todos os convocados

Nº	Jogador	Posição	Clube	Jogos	Minutos	Gols	E
1	Castilho	goleiro	Fluminense	3	300	(5)	0
2	Djalma Santos	zagueiro	Portuguesa	3	300	1	0
3	Nílton Santos	zagueiro	Botafogo	3	281	0	1
4	Brandãozinho	médio	Portuguesa	3	300	0	0
5	Pinheiro	zagueiro	Fluminense	3	300	0	0
6	Bauer	médio	São Paulo	3	300	0	0
7	Julinho	atacante	Portuguesa	3	300	2	0
8	Didi	médio	Fluminense	3	300	2	0
9	Baltazar	atacante	Corinthians	2	210	1	0
10	Pinga	atacante	Vasco	2	210	2	0
11	Rodrigues	atacante	Palmeiras	2	210	0	0
12	Paulinho	zagueiro	Internacional	0	0	0	0
13	Alfredo	zagueiro	São Paulo	0	0	0	0
14	Ely	médio	Vasco	0	0	0	0
15	Mauro Ramos	zagueiro	São Paulo	0	0	0	0
16	Dequinha	médio	Flamengo	0	0	0	0
17	Maurinho	atacante	São Paulo	1	90	0	0
18	Humberto Tozzi	atacante	Palmeiras	1	79	0	1
19	Índio	atacante	Flamengo	1	90	0	0
20	Rubens	atacante	Flamengo	0	0	0	0
21	Veludo	goleiro	Fluminense	0	0	0	0
22	Cabeção	goleiro	Corinthians	0	0	0	0

Curiosidades

Desconhecimento
O time brasileiro não sabia que na Copa de 1954 duas equipes de cada grupo se classificavam na primeira fase. Achavam que valia a regra do Mundial de 1950, quando apenas o vencedor de cada chave seguia na competição. No jogo contra a Iugoslávia, o capitão deles, Mitic, apontava para o placar, que marcava 1 a 1, numa tentativa de avisar que a igualdade levava as duas seleções para a fase seguinte. Os brasileiros encararam como provocação e partiram para cima do time iugoslavo. No final dos 120 minutos, pois o jogo foi para a prorrogação, vendo o adversário comemorar, os jogadores do Brasil imaginaram que estavam eliminados. Só no vestiário foram saber que seguiam na Copa do Mundo.

Irmãos
O futebol não era o forte dos suíços e a imprensa do país sabia muito pouco das seleções que foram ao Mundial. Vendo na relação do Brasil os nomes de Djalma Santos e Nílton Santos, muitas publicações do País chegaram a tratá-los como irmãos. Nem mesmo o fato de o primeiro ser negro e o segundo, branco serviu para mostrar aos suíços que eles estavam enganados.

Eliminatórias
Para garantir sua participação na Copa do Mundo da Suíça, a Seleção Brasileira teve que disputar, pela primeira vez na sua história, as Eliminatórias. E o time comandado por Zezé Moreira não teve muita dificuldade. Encarou jogos de ida e volta contra Chile e Paraguai, e alcançou a vaga com 100% de aproveitamento. Fez 2 a 0 nos chilenos, em Santiago, e 1 a 0, no Maracanã. Contra os paraguaios, ganhou por 1 a 0, em Assunção, e goleou por 4 a 1, no Maracanã. O destaque da equipe foi o atacante Baltazar, que marcou em todas as partidas, totalizando cinco gols. No Mundial fez apenas um gol e ainda perdeu a posição para Índio, na partida decisiva contra a Hungria.

Numeração
Pela primeira vez, numa Copa do Mundo, os jogadores usaram camisas com numeração fixa, numa exigência da Fifa. A camisa 10, que passaria a ser badalada quatro anos depois, por causa de Pelé, ficou com Pinga, que foi ao Mundial da Suíça como jogador do Vasco.

Voando
Pela terceira vez o Brasil ia disputar uma Copa do Mundo na Europa. Pela primeira vez voando. Nos Mundiais de 1934, na Itália, e 1938, na França, a travessia do Atlântico foi de navio. Em 1954, ela aconteceu a bordo de um avião da Panair.

Suécia
1958

Os traumas de 1950, principalmente, e de 1954, ainda estavam vivos na memória dos brasileiros. E apesar de Vicente Feola ter à sua disposição uma geração de craques, o pessimismo era forte em relação à participação da Seleção no Mundial da Suécia.

Durante o período de treinamentos, nas cidades mineiras de Poços de Caldas e Araxá, a imprensa não poupou críticas ao time de Feola, que convocou 33 jogadores e cortou 11 até o embarque para a Suécia.

Com João Havelange na presidência da CBD, e o empresário Paulo Machado de Carvalho, que era dirigente do São Paulo, no comando da Seleção Brasileira, a estrutura mudou de forma significativa. Uma comissão técnica de alto nível foi montada, inclusive com a presença de um psicólogo. Os jogadores tiveram uma preparação que nunca se tinha visto. Foram feitos vários tipos de exames clínicos e os dentes dos atletas foram tratados, algo inédito no futebol brasileiro.

Depois de um início sem muito brilho, com uma vitória de 3 a 0 sobre a Áustria, e um empate sem gols com a Inglaterra, o Brasil deslanchou na Copa a partir da última rodada da primeira fase, quando fez 2 a 0 na União Soviética com Pelé, que estava machucado, Zito e Garrincha, que eram reservas, entrando na equipe.

Na fase de mata-mata, Pelé brilhou intensamente. Marcou o gol da vitória de 1 a 0 sobre o País de Gales nas quartas de final. Na semifinal, fez outros três contra a França, do artilheiro Fontaine. E fechou sua participação no Mundial marcando duas vezes na goleada de 5 a 2 sobre a Suécia, que garantiu o título. O Brasil era campeão do mundo e revelava o maior jogador de futebol de todos os tempos.

Suécia 1958

Primeira fase

BRASIL 3 X 0 ÁUSTRIA

BRASIL
Gilmar; De Sordi, Bellini, Orlando e Nílton Santos; Dino Sani e Didi; Joel, Mazzola, Dida e Zagallo.
Técnico: Vicente Feola

ÁUSTRIA
Szanwald; Halla, Happel, Swoboda Hanappi, Köller, Horak, Senekowitsch, Buzek, Koerner e W. Schleger.
Técnico: Karl Argauer

Data: 8 de junho de 1958
Local: Rimmewallen (Uddevala)
Gols: Mazzola, aos 38 minutos do primeiro tempo; Nílton Santos, aos 4, e Mazzola, aos 44 minutos do segundo tempo
Arbitragem: Maurice Guigue (França), auxiliado por Albert Dusch (Alemanha) e Jan Bronkhorst (Holanda)
Público: 21.000

BRASIL 0 X 0 INGLATERRA

BRASIL
Gilmar; De Sordi, Bellini, Orlando e Nílton Santos; Dino Sani e Didi; Joel, Mazzola, Vavá e Zagallo.
Técnico: Vicente Feola

INGLATERRA
Mc Donald; Howe, Billy Wright, Banks, Clamp, Slater, Douglas, Robson, Kevan, Haynes e A'Court.
Técnico: Walter Winterbottom

Data: 11 de junho de 1958
Local: Nya Ullevi (Gotemburgo)
Arbitragem: Albert Dusch (Alemanha), auxiliado por Bertil Loeoew (Suécia) e Istvan Zsolt (Hungria)]
Público: 40.895

BRASIL 2 X 0 UNIÃO SOVIÉTICA

BRASIL
Gilmar; De Sordi, Bellini, Orlando e Nílton Santos; Zito e Didi; Garrincha, Vavá, Pelé e Zagallo.
Técnico: Vicente Feola

UNIÃO SOVIÉTICA
Yashin; Kesariev, Krijevski, Kuznetsov, Voinov, Tsarev, Aleksandr Ivanov, Valentin Ivanov, Simonian, Igor Netto e Ilyin.
Técnico: Gavril Katchalin

Data: 15 de junho de 1958
Local: Nya Ullevi (Gotemburgo)
Gols: Vavá, aos 3 minutos do primeiro tempo, e aos 31 minutos do segundo tempo
Arbitragem: Maurice Guigue (França), auxiliado por Birger Nielsen (Noruega) e Carl Jorgensen (Dinamarca)
Público: 50.928

Quartas de final

BRASIL 1 X 0 PAÍS DE GALES

BRASIL
Gilmar; De Sordi, Bellini, Orlando e Nílton Santos; Zito e Didi; Garrincha, Mazzola, Pelé e Zagallo.
Técnico: Vicente Feola

ÁUSTRIA
Kelsey; Williams, Hopkins, Sullivan, Charles, Bowen, Medwin, Hewitt, Webster, Allchurch e Jones.
Técnico: Jack Murphy

Data: 19 de junho de 1958
Local: Nya Ullevi (Gotemburgo)
Gols: Pelé, aos 25 minutos do segundo tempo
Arbitragem: Friedrich Seipelt (Áustria), auxiliado por Maurice Guigue (França) e Albert Dusch (Alemanha)
Público: 25.923

Semifinal

BRASIL 5 X 2 FRANÇA

BRASIL
Gilmar; De Sordi, Bellini, Orlando e Nílton Santos; Zito e Didi; Garrincha, Vavá, Pelé e Zagallo.
Técnico: Vicente Feola

FRANÇA
Abbes; Kaelbel, Lerond, Penverne, Jonquet, Marcel, Wisnieski, Kopa, Fontaine, Piantoni e Vincent.
Técnico: Albert Batteux

Data: 24 de junho de 1958
Local: Rasunda (Estocolmo)
Gols: Vavá, aos 2, Fontaine, aos 9, e Didi, aos 39 minutos do primeiro tempo; Pelé, aos 7, 19 e 30, e Piantoni, aos 38 minutos do segundo tempo
Arbitragem: Benjamin Griffiths (País de Gales), auxiliado por Raymon Wyssling (Suíça) e Reginald Leafe (Inglaterra)
Público: 27.100

Final

BRASIL 5 X 2 SUÉCIA

BRASIL
Gilmar; Djalma Santos, Bellini, Orlando e Nílton Santos; Zito e Didi; Garrincha, Vavá, Pelé e Zagallo.
Técnico: Vicente Feola

SUÉCIA
Svensson; Bergmark, Axbom, Reino Borjesson, Gustavsson, Parling, Hamrin, Gren, Simonsson, Liedholm e Skoglund.
Técnico: Gavril Katchalin

Data: 29 de junho de 1958
Local: Rasunda (Estocolmo)
Gols: Liedholm, aos 3, Vavá, aos 9 e 32 minutos do primeiro tempo; Pelé, aos 10, Zagallo, aos 23, Simonsson, aos 35, e Pelé, aos 45 minutos do segundo tempo
Arbitragem: Maurice Guigue (França), auxiliado por Albert Dusch (Alemanha) e Juan Gardeazabal (Espanha)
Público: 49.737

Todos os convocados

Nº	Jogador	Posição	Clube	Jogos	Minutos	Gols	E
1	Castilho	goleiro	Fluminense	0	0	0	0
2	Bellini	zagueiro	Vasco	6	540	0	0
3	Gilmar	goleiro	Corinthians	6	540	(4)	0
4	Djalma Santos	lateral	Portuguesa	1	90	0	0
5	Dino Sani	volante	São Paulo	2	180	0	0
6	Didi	armador	Botafogo	6	540	1	0
7	Zagallo	atacante	Flamengo	6	540	1	0
8	Oreco	lateral	Corinthians	0	0	0	0
9	Zózimo	zagueiro	Bangu	0	0	0	0
10	Pelé	atacante	Santos	4	360	6	0
11	Garrincha	atacante	Botafogo	4	360	0	0
12	Nílton Santos	lateral	Botafogo	6	540	1	0
13	Moacir	armador	Flamengo	0	0	0	0
14	De Sordi	lateral	São Paulo	5	450	0	0
15	Orlando Peçanha	zagueiro	Vasco	6	540	0	0
16	Mauro Ramos	zagueiro	São Paulo	0	0	0	0
17	Joel	atacante	Flamengo	2	180	0	0
18	Mazzola	atacante	Palmeiras	3	270	2	0
19	Zito	volante	Santos	4	360	0	0
20	Vavá	atacante	Vasco	4	360	5	0
21	Dida	atacante	Flamengo	1	90	0	0
22	Pepe	atacante	Santos	0	0	0	0

Curiosidades

Tudo azul
Na decisão, como Brasil e Suécia usavam camisas amarelas, foi feito um sorteio para decidir quem teria de trocar de uniforme. Os donos da casa venceram e criaram um grande problema para a comissão técnica brasileira, que não tinha levado a segunda camisa, que é azul. Um jogo de uniforme acabou sendo comprado em Estocolmo, e escudos e números foram bordados às pressas. O fato gerou uma frase histórica de Paulo Machado de Carvalho, na tentativa de tranquilizar os supersticiosos jogadores: "Azul é a cor do manto de Nossa Senhora Aparecida. A padroeira do Brasil está conosco".

Tabu
Das 18 Copas já disputadas, entre 1930 e 2006, dez foram na Europa. E nessas edições o único campeão não europeu foi justamente o Brasil, em 1958. Nas outras nove, quem levantou a taça foi um país do Velho Mundo:

Ano	Sede	Campeão
1934	Itália	Itália
1938	França	Itália
1954	Suíça	Alemanha
1966	Inglaterra	Inglaterra
1974	Alemanha	Alemanha
1982	Espanha	Itália
1990	Itália	Alemanha
1998	França	França
2006	Alemanha	Itália

Numeração
Apesar de toda a organização da CBD para a Copa de 1958, os dirigentes da entidade se esqueceram de dar número aos jogadores, quando enviaram a lista de inscritos. A tarefa acabou ficando com o uruguaio Lorenzo Villizio, que fazia parte do Comitê Organizador do Mundial. Por isso o goleiro titular Gilmar era 3, o armador Didi 6, e o zagueiro Zózimo 9. O único acerto dele foi justamente com Pelé, que recebeu a 10.

Placar em branco
O primeiro 0 a 0 da história da Copa do Mundo aconteceu no jogo entre Brasil e Inglaterra, em 11 de junho de 1958, em Gotemburgo, pela segunda rodada da primeira fase.

Chile
1962

O Brasil manteve para a Copa do Mundo de 1962 praticamente o mesmo esquema que tinha sido vitorioso quatro anos antes, na Suécia. Foram mantidos 14 jogadores no grupo. As novidades foram Jair Marinho, Jurandir, Altair, Zequinha, Mengálvio, Jair da Costa, Coutinho e Amarildo, que entraram nos lugares de De Sordi, Orlando Peçanha, Oreco, Dino Sani, Moacir, Joel, Mazzola e Dida, respectivamente. Vicente Feola, com problemas de saúde, foi substituído por Aymoré Moreira.

O Brasil carregava todo o favoritismo, mas viu uma dúvida surgir quando Pelé sofreu uma contusão logo na segunda partida, no empate sem gols com a Tchecoslováquia. O jogo seguinte, o último da primeira fase, era contra a poderosa Espanha, de Puskas e Di Stéfano, que, machucado, não jogou, e uma derrota poderia significar a eliminação. A Seleção chegou a sair perdendo, mas o garoto Amarildo, o substituto de Pelé, marcou duas vezes e virou o placar.

O papel de desequilibrar os jogos nas fases de mata-mata, que foi de Pelé quatro anos antes, coube a Garrincha no Chile. Nos 3 a 1 sobre a Inglaterra, nas quartas de final, além de dois gols, ele deu uma série de dribles sobre seus marcadores. Na semifinal, contra o Chile, calou o Estádio Nacional de Santiago, que estava lotado, com outra grande exibição e outros dois gols. O único problema é que ele caiu na provocação dos chilenos e acabou expulso de campo aos 38 minutos do segundo tempo, por agressão. Uma manobra da CBD acabou permitindo que ele estivesse em campo na partida final, contra a Tchecoslováquia. Muito gripado, ele teve sua pior atuação, mas, mesmo assim, ajudou e muito na vitória por 3 a 1, pois os tchecos armaram todo um esquema especial de marcação para tentar pará-lo.

Chile 1962

Primeira fase

BRASIL 2 X 0 MÉXICO

BRASIL
Gilmar; Djalma Santos, Mauro, Zózimo e Nílton Santos; Zito e Didi; Garrincha, Vavá, Pelé e Zagallo.
Técnico: Aymoré Moreira

MÉXICO
Carbajal; Del Muro, Villegas, Cardenas e Sepúlveda; Najera e Del Aguilla; Reyes, Alfredo Hernandez, Jasso e Isidoro Diaz.
Técnico: Ignácio Trelles

Data: 30 de maio de 1962
Local: Estádio Sausalito (Viña del Mar)
Gols: Zagallo, aos 11, e Pelé, aos 28 minutos do segundo tempo
Arbitragem: Gottfried Dienst (Suíça), auxiliado por Carl Erich Steiner (Áustria) e Pierre Schwinte (França)
Público: 10.484

BRASIL 0 X 0 TCHECOSLOVÁQUIA

BRASIL
Gilmar; Djalma Santos, Mauro, Zózimo e Nílton Santos; Zito e Didi; Garrincha, Vavá, Pelé e Zagallo.
Técnico: Aymoré Moreira

TCHECOSLOVÁQUIA
Schroif; Lala, Popluhar, Pluskal e Novak; Masopust e Stibranyi; Scherer, Kvasnak, Adamec e Jelinek.
Técnico: Rudolf Vytlacil

Data: 2 de junho de 1962
Local: Estádio Sausalito (Viña del Mar)
Arbitragem: Pierre Schwinte (França), auxiliado por Artur Massaro (Chile) e Gottfried Dienst (Suíça)
Público: 14.903

BRASIL 2 X 1 ESPANHA

BRASIL
Gilmar; Djalma Santos, Mauro, Zózimo e Nílton Santos; Zito e Didi; Garrincha, Vavá, Amarildo e Zagallo.
Técnico: Aymoré Moreira

ESPANHA
Araquistain; Rodrí, Echeberria, Garcia, e Enrique Perez; Verges e Collar; Adelardo, Puskas, Peiró e Gento.
Técnico: Helenio Herrera

Data: 10 de junho de 1962
Local: Estádio Sausalito (Viña del Mar)
GOLS: Adelardo, aos 35 minutos do primeiro tempo; Amarildo, aos 27 e 41 minutos do segundo tempo
Arbitragem: Sergio Bustamante (Chile), auxiliado por Esteban Marino (Uruguai) e Jose Antonio Sundheim (Colômbia)
Público: 18.715

Quartas de final

BRASIL 3 X 1 INGLATERRA

BRASIL
Gilmar; Djalma Santos, Mauro, Zózimo e Nílton Santos; Zito e Didi; Garrincha, Vavá, Amarildo e Zagallo.
Técnico: Aymoré Moreira

INGLATERRA
Springett; Armfield, Wilson, Bobby Moore e Flowers; Norman e Douglas; Greaves, Hitchens, Haynes e Bobby Charlton.
Técnico: Walter Winterbottom

Data: 10 de junho de 1962
Local: Estádio Sausalito (Viña de Mar)
Gols: Garrincha, aos 31, e Hitchens, aos 38 minutos do primeiro tempo; Vavá, aos 8, e Garrincha, aos 24 minutos do segundo tempo
Arbitragem: Pierre Schwinte (França), auxiliado por Gottfried Dienst (Suíça) e Sergio Bustamante (Chile)
Público: 17.736

Semifinal

BRASIL 4 X 2 CHILE

BRASIL
Gilmar; Djalma Santos, Mauro, Zózimo e Nílton Santos; Zito e Didi; Garrincha, Vavá, Amarildo e Zagallo.
Técnico: Aymoré Moreira

CHILE
Escuti; Eyzaguirre, Contreras, Raúl Sánchez e Rodríguez; Rojas e Ramírez; Toro, Landa, Tobar e Leonel Sánchez.
Técnico: Fernando Riera

Data: 13 de junho de 1962
Local: Estádio Nacional (Santiago)
Gols: Garrincha, aos 9 e 32, e Toro, aos 42 minutos do primeiro tempo; Vavá, aos 2, Leonel Sánchez, aos 16, e Vavá, aos 33 minutos do segundo tempo
Arbitragem: Arturo Maldonado (Peru), auxiliado por Esteban Marino (Uruguai) e Luis Antônio Ventre (Argentina)
Expulsões: Garrincha (Brasil) e Landa (Chile)
Público: 76.500

Final

BRASIL 3 X 1 TCHECOSLOVÁQUIA

BRASIL
Gilmar; Djalma Santos, Mauro, Zózimo e Nílton Santos; Zito e Didi; Garrincha, Vavá, Amarildo e Zagallo.
Técnico: Aymoré Moreira

TCHECOSLOVÁQUIA
Schroif; Tichy, Popluhar, Pluskal e Novak; Masopust e Pospichal; Scherer, Kvasnak, Kadabra e Jelinek.
Técnico: Rudolf Vytlacil

Data: 17 de junho de 1962
Local: Estádio Nacional (Chile)
Gols: Masopust, aos 15, e Amarildo, aos 17 minutos do primeiro tempo; Zito, aos 24, e Vavá, aos 33 minutos do segundo tempo
Arbitragem: Nikolaj Latychev (União Soviética), auxiliado por Leo Horn (Holanda) e Robert Holley Davidson (Escócia)
Público: 69.068

Todos os convocados

Nº	Jogador	Posição	Clube	Jogos	Minutos	Gols	E
1	Gilmar	goleiro	Santos	6	540	(5)	0
2	Djalma Santos	lateral	Palmeiras	6	540	0	0
3	Mauro Ramos	zagueiro	Santos	6	540	0	0
4	Zito	volante	Santos	6	540	1	0
5	Zózimo	zagueiro	Bangu	6	540	0	0
6	Nílton Santos	lateral	Botafogo	6	540	0	0
7	Garrincha	atacante	Botafogo	6	533	4	1
8	Didi	armador	Botafogo	6	540	0	0
9	Coutinho		Santos	0	0	0	0
10	Pelé	atacante	Santos	2	180	1	0
11	Pepe	atacante	Santos	0	0	0	0
12	Jair Marinho	lateral	Fluminense	0	0	0	0
13	Bellini	zagueiro	Vasco	0	0	0	0
14	Jurandir	zagueiro	São Paulo	0	0	0	0
15	Altair	lateral	Fluminense	0	0	0	0
16	Zequinha	volante	Palmeiras	0	0	0	0
17	Mengálvio	armador	Santos	0	0	0	0
18	Jair da Costa	atacante	Portuguesa	0	0	0	0
19	Vavá	atacante	Palmeiras	6	540	4	0
20	Amarildo	atacante	Botafogo	4	360	3	0
21	Zagallo	atacante	Botafogo	6	540	1	0
22	Castilho	goleiro	Fluminense	0	0	0	0

Curiosidades

Pagando o pato
Um jogador genial, mas de uma infantilidade enorme. Assim era Garrincha. Uma das preocupações do Brasil na partida contra a Inglaterra era o lateral Flowers, que organizava o time. Antes da partida, Nílton Santos aproximou-se de Garrincha e provocou: "O número 6 deles anda dizendo que tu és viado, Mané". O ponta pediu então ao seu compadre que lhe mostrasse, em campo, quem era o desaforado. Garrincha deu um show de bola na defesa inglesa. Anos depois, num livro de recordações sobre a Copa de 1962 (World Cup 1962), quando nasceu a Seleção Inglesa, campeã mundial em 1966, Flowers escreveu: "Não entendia por que Garrincha vinha sempre para cima de mim quando pegava a bola".

O passo de Nílton Santos
Na partida contra a Espanha, quando eles já venciam por 1 a 0, Collar superou Nílton Santos e foi derrubado dentro da área. Com a experiência de quem disputava sua quarta Copa, a terceira como titular da Seleção Brasileira, o lateral deu um passo para frente e saiu da área. O árbitro chileno Sergio Bustamente caiu na malandragem e não marcou pênalti, mas falta.

Provocação
Antes da partida semifinal, entre Brasil e Chile, foi lançado pelos brasileiros o boato de que Pelé poderia estar de volta à equipe. Ele não tinha a menor chance de jogar, mas era apenas uma estratégia para tentar preocupar o adversário. No Estádio Nacional, um coro da torcida chilena provocava: "Com Pelé o sin Pelé, los haremos tomar café". A provocação não deu resultado e o Brasil venceu por 4 a 2.

Vingança
Entre as Copas de 1958 e 1962, o armador Didi teve uma passagem frustrada pelo Real Madrid, da Espanha. Ele voltou ao Brasil dizendo que não tinha dado certo porque o argentino Di Stéfano o havia boicotado. Por isso, o confronto contra a Espanha foi especial para ele, que queria se vingar. Machucado, Di Stéfano não entrou em campo. Viu da tribuna toda a categoria de Didi, que mostrou aos europeus que realmente era um craque genial.

Inglaterra
1966

Toda a organização que marcou a preparação para o bicampeonato mundial em 1958 e 1962 ficou de lado na Copa de 1966, que foi disputada na Inglaterra. A Seleção Brasileira era a maior instituição do País, e surgiam pressões de todos os lados para se ter jogador na equipe.

Para agradar o maior número de clubes possível, o técnico Vicente Feola, que estava de volta ao comando, convocou 47 jogadores para o período de preparação, que foi feito em Serra Negra-SP e Caxambu-MG. A Seleção chegou a disputar dois amistosos no mesmo dia, foi em 8 de junho de 1962, no Maracanã, quando uma equipe venceu o Peru por 3 a 1, na preliminar, e outra a Polônia, por 2 a 1, no jogo de fundo.

O resultado é que o time de Feola chegou à Inglaterra sem o menor entrosamento e recheado de jogadores das conquistas de 1958 e 1962 que já eram veteranos e não tinham mais a mesma condição física. Na estreia, o time ainda venceu a Bulgária, por 2 a 0, gols de Pelé e Garrincha, na última partida que os dois disputaram juntos pela Seleção Brasileira. Aliás, com os dois juntos em campo, a equipe nunca foi derrotada.

Os problemas começaram na segunda partida da primeira fase, quando o Brasil foi facilmente superado pela Hungria, que fez 3 a 1. Para chegar às quartas de final, a Seleção teria que vencer a forte equipe de Portugal, de Eusébio e companhia, na última rodada, em 19 de julho.

Pelé foi caçado em campo; o time brasileiro, mais uma vez muito modificado pelo técnico Vicente Feola não teve força e a derrota por 3 a 1 decretou a eliminação da equipe bicampeã mundial ainda na primeira fase. Foi a última vez em que o Brasil saiu tão cedo de uma Copa do Mundo.

Inglaterra 1966

Primeira fase

BRASIL 2 X 0 BULGÁRIA

BRASIL
Gilmar; Djalma Santos, Bellini, Altair e Paulo Henrique; Denílson e Lima; Garrincha, Alcindo, Pelé e Jairzinho.
Técnico: Vicente Feola

BULGÁRIA
Naidenov; Shalamanov, Penev, Kutzov e Gaganelov; Kotov e Zhekov; Dermendjev, Asparukhov, Yakimov e Kolev.
Técnico: Rudolf Vytlacil

Data: 12 de julho de 1966
Local: Estádio Goodison Park (Liverpool)
Gols: Pelé, aos 15 minutos do primeiro tempo; Garrincha, aos 18 minutos do segundo tempo
Arbitragem: Kurt Tschenscher (Alemanha), auxiliado por George Mc Cabe (Inglaterra) e John Taylor (Inglaterra)
Público: 52.487

BRASIL 1 X 3 HUNGRIA

BRASIL
Gilmar; Djalma Santos, Bellini, Altair e Paulo Henrique; Lima e Gérson; Garrincha, Alcindo, Tostão e Jairzinho.
Técnico: Vicente Feola

HUNGRIA
Gelei; Matrai, Kaposzta, Meszöly e Sipos; Szepesi e Mathesz; Rakosi, Bene, Albert e Farkas.
Técnico: Lajos Baroti

Data: 15 de julho de 1966
Local: Estádio Goodison Park (Liverpool)
Gols: Bene, aos 2, e Tostão, aos 14 minutos do primeiro tempo; Karkas, aos 19, e Meszoly, aos 28 minutos do segundo tempo
Arbitragem: Kenneth Dagnall (Inglaterra), auxiliado por Kevin Howley (Inglaterra) e Arturo Maldonado (Peru)
Público: 57.000

BRASIL 1 X 3 PORTUGAL

BRASIL
Manga; Fidélis, Brito, Orlando e Rildo; Denílson e Lima; Jairzinho, Silva, Pelé e Paraná.
Técnico: *Vicente Feola*

PORTUGAL
Pereira; Morais, Vicente, Hilário e Baptista; Coluna e Graça; Augusto, Torres, Eusébio e Simões.
Técnico: *Oto Glória*

Data: 19 de julho de 1966
Local: Estádio Goodison Park (Liverpool)
Gols: Simões, aos 15, e Eusébio, aos 27 minutos do primeiro tempo; Rildo, aos 25, e Eusébio, aos 40 minutos do segundo tempo
Arbitragem: George Mc Cabe (Inglaterra), auxiliado por Leo Callaghan (País de Gales) e Kenneth Dagnall (Inglaterra)
Público: 62.000

Todos os convocados

Nº	Jogador	Posição	Clube	Jogos	Minutos	Gols	E
1	Gilmar	goleiro	Santos	2	180	(3)	0
2	Djalma Santos	lateral	Palmeiras	2	180	0	0
3	Fidélis	lateral	Bangu	1	90	0	0
4	Bellini	zagueiro	São Paulo	2	180	0	0
5	Brito	zagueiro	Vasco	1	90	0	0
6	Altair	zagueiro	Fluminense	2	180	0	0
7	Orlando	zagueiro	Santos	1	90	0	0
8	Paulo Henrique	lateral	Flamengo	2	180	0	0
9	Rildo	lateral	Botafogo	1	90	1	0
10	Pelé	atacante	Santos	2	180	1	0
11	Gérson	armador	Botafogo	1	90	0	0
12	Manga	goleiro	Botafogo	1	90	(3)	0
13	Denílson	volante	Fluminense	2	180	0	0
14	Lima	armador	Santos	3	270	0	0
15	Zito	volante	Santos	0	0	0	0
16	Garrincha	atacante	Corinthians	2	180	1	0
17	Jairzinho	atacante	Botafogo	3	270	0	0
18	Alcindo	atacante	Grêmio	2	180	0	0
19	Silva	atacante	Flamengo	1	90	0	0
20	Tostão	atacante	Cruzeiro	1	90	1	0
21	Paraná	atacante	São Paulo	1	90	0	0
22	Edu	atacante	Santos	0	0	0	0

Curiosidades

Juventude
O ponta esquerda Edu é o jogador mais jovem convocado para defender a Seleção Brasileira numa Copa do Mundo. Ele tinha apenas 16 anos quando foi levado por Vicente Feola para o Mundial da Inglaterra. Outro garoto que fazia parte do grupo era Tostão, do Cruzeiro, que tinha 19 anos.

Veteranos
Vários campeões mundiais em 1958 e 1962 foram à Inglaterra, alguns já com idade avançada, principalmente para aquela época. O zagueiro Bellini tinha 33 anos, o goleiro Gilmar, 35, e o lateral direito Djalma Santos, o mais velho da turma, 37.

Política
A eliminação da Seleção Brasileira tão cedo na Copa do Mundo de 1966 provocou uma série de reações. João Havelange afirmou que houve uma conspiração contra a equipe brasileira, pois os árbitros ingleses que apitaram as partidas decisivas teriam deixado os adversários baterem à vontade. Os paulistas pediram a criação de uma confederação exclusiva para o futebol, com sede em Brasília. Um deputado paulista chegou a pedir uma CPI para investigar as causas das derrotas do time de Feola.

Dupla
Na volta ao Brasil, Tostão declarou que só lamentava não ter tido a chance de jogar ao lado de Pelé na Copa da Inglaterra. Quatro anos depois, no Mundial do México, ele mostrou que tinha razão, pois os dois formaram uma grande dupla de ataque.

México
1970

A organização voltou a fazer parte da preparação da Seleção Brasileira para a Copa do Mundo de 1970, o que novamente acabou sendo decisivo para a conquista do tricampeonato mundial nos gramados mexicanos.

Como o Brasil jogaria pelo menos a primeira fase em Guadalajara, que fica a 1.500 metros acima do nível de mar, e a Cidade do México, situada a 2.235 metros, também poderia ser visitada, a comissão técnica optou por levar os jogadores para o país da Copa um mês antes do início do Mundial, para que a equipe se adaptasse à altitude.

Além disso, a comissão técnica priorizou muito a preparação física, pois as partidas seriam jogadas por volta do meio-dia. Com a qualidade técnica que a equipe de Zagallo tinha, se bem preparada fisicamente, seria ainda mais difícil de ser batida.

A estratégia deu resultado. Na estreia, contra a Tchecoslováquia, já ficou claro que o preparo físico do Brasil era superior. O primeiro tempo terminou empatado em 1 a 1. Na etapa final, a Seleção construiu a goleada de 4 a 1. Uma história idêntica à vivida na decisão, contra a Itália.

Entre o primeiro jogo, contra os tchecos, e a decisão, contra os italianos, a força física do Brasil ficou evidente. As duas partidas mais complicadas que o time de Zagallo encarou foram decididas na etapa final. Foi assim no 1 a 0 sobre a Inglaterra, na segunda rodada da primeira fase, e nos 3 a 1, de virada, sobre o Uruguai, nas semifinais.

Era a última Copa do Mundo de Pelé, e ele foi genial no México, formando o quarteto ofensivo com Tostão, Rivellino e Jairzinho, o Furacão da Copa, que marcou gol em todas as seis partidas do Brasil. Pela primeira vez, a Seleção era campeã mundial com 100% de aproveitamento.

México 1970

Primeira fase

BRASIL 4 X 1 TCHECOSLOVÁQUIA

BRASIL	**TCHECOSLOVÁQUIA**

BRASIL
Félix; Carlos Alberto, Brito, Piazza e Everaldo; Clodoaldo e Gérson (Paulo César Lima); Jairzinho, Pelé, Tostão e Rivellino.
Técnico: *Zagallo*

TCHECOSLOVÁQUIA
Viktor; Dobias, Horvath, Migas e Hagara; Kuna, Hrdlicka (Kvasnak) e Frantisek Vesely (Bohumil Vesely); Petras, Adamec e Jokl.
Técnico: *Josef Marko*

Data: 3 de junho de 1970
Local: Estádio Jalisco (Guadalajara)
Gols: Petras, aos 11, e Rivellino, aos 24 minutos do primeiro tempo; Pelé, aos 14, Jairzinho, aos 16 e 36 minutos do segundo tempo
Arbitragem: Ramon Barreto (Uruguai), auxiliado por Abraham Klein (Israel) e Arturo Maldonado (Peru)
Cartões amarelos: Tostão e Gérson (Brasil); Horvath (Tchecoslováquia)
Público: 52.897

BRASIL 1 X 0 INGLATERRA

BRASIL
Félix; Carlos Alberto, Brito, Piazza e Everaldo; Clodoaldo e Paulo César Lima; Jairzinho, Pelé, Tostão (Roberto Miranda) e Rivellino.
Técnico: *Zagallo*

INGLATERRA
Gordon Banks; Thomas Wright, Brian Labone, Bobby Moore e Terence Cooper; Alan Mullery, Bobby Charlton (Jeff Astle) e Francis Lee (Colin Bell); Alan Ball, Geoffrey Hurst e Martin Peters.
Técnico: *Alf Ramsey*

Data: 7 de junho de 1970
Local: Estádio Jalisco (Guadalajara)
Gol: Jairzinho, aos 14 minutos do segundo tempo
Arbitragem: Abraham Klein (Israel), auxiliado por Arturo Maldonado (Peru) e Roger Machin (França)
Cartão amarelo: Francis Lee (Inglaterra)
Público: 66.843

BRASIL 3 X 2 ROMÊNIA	
BRASIL	**ROMÊNIA**
Félix; Carlos Alberto, Brito, Fontana e Everaldo (Marco Antônio); Piazza e Clodoaldo (Edu); Jairizinho, Tostão, Pelé e Paulo César Lima. **Técnico:** Zagallo	Adamache (Raducanu); Satmareanu, Nicolae Lupescu, Cornel Dinu e Mihail Mocanu; Dumitru, Radu Nunweiller e Dembrowski; Neagu, Dumitrache (Tataru) e Lucescu. **Técnico:** Ângelo Niculescu

Data: 10 de junho de 1970
Local: Estádio Jalisco (Guadalajara)
Gols: Pelé, aos 19, Jairzinho, aos 22, e Dumitrache, aos 34 minutos do primeiro tempo; Pelé, aos 22, e Dembrowski, aos 39 minutos do segundo tempo
Arbitragem: Ferdinand Marschall (Áustria), auxiliado por Ramon Barreto (Uruguai) e Vital Loraux (Bélgica)
Cartões amarelos: Mocanu e Dumitru (Romênia)
Público: 50.804

Quartas de final

BRASIL 4 X 2 PERU	
BRASIL	**PERU**
Félix; Carlos Alberto, Brito, Piazza e Marco Antônio; Clodoaldo e Gérson (Paulo César Lima); Jairzinho (Roberto Miranda), Pelé, Tostão e Rivellino. **Técnico:** Zagallo	Rubiños; Eloy Campos, José Fernandez, Chumpitaz e Fuentes; Mifflin, Challe e Cubillas; Baylon (Sotil), Perico Leon (Eládio Reyes) e Gallardo. **Técnico:** Didi

Data: 14 de junho de 1970
Local: Estádio Jalisco (Guadalajara)
Gols: Rivellino, aos 11, Tostão, aos 15, e Gallardo, aos 28 minutos do primeiro tempo; Tostão, aos 7, Cubillas, aos 25, e Jairzinho, aos 30 minutos do segundo tempo
Arbitragem: Vital Lourax (Bélgica), auxiliado por Ferdinand Marschall (Áustria) e Gyula Emsberger (Hungria)
Público: 54.233

Semifinal

BRASIL 3 X 1 URUGUAI

BRASIL
Félix; Carlos Alberto, Brito, Piazza e Everaldo; Clodoaldo e Gérson; Jairzinho, Pelé, Tostão e Rivellino.
Técnico: Zagallo

URUGUAI
Mazurkiewicz; Ubiñas, Ancheta, Matosas e Mujica; Fontes, Castillo e Julio Cortés; Cubilla, Maneiro (Esparrago) e Morales.
Técnico: Juan Holberg

Data: 17 de junho de 1970
Local: Estádio Jalisco (Guadalajara)
Gols: Cubilla, aos 19, e Clodoaldo, aos 44 minutos do primeiro tempo; Jairzinho, aos 31, e Rivellino, aos 44 minutos do segundo tempo
Arbitragem: Jose Maria Ortiz de Mendibil (Espanha), auxiliado por Tofik Bakhramov (União Soviética) e Ferdinand Marschall (Áustria)
Cartões amarelos: Carlos Alberto (Brasil); Mujica, Fontes e Maneiro (Uruguai)
Público: 51.261

Final

BRASIL 4 X 1 ITÁLIA

BRASIL
Félix; Carlos Alberto, Brito, Piazza e Everaldo; Clodoaldo e Gérson; Jairzinho, Pelé, Tostão e Rivellino.
Técnico: Zagallo

ITÁLIA
Albertosi; Burgnich, Cera, Rosato e Facchetti; De Sisti e Bertini (Juliano); Mazzola, Domenghini, Boninsegna (Rivera) e Riva.
Técnico: Ferruccio Valcareggi

Data: 21 de julho de 1970
Local: Estádio Azteca (Cidade do México)
Gols: Pelé, aos 18, e Boninsegna, aos 37 minutos do primeiro tempo; Gérson, aos 21, Jairzinho, aos 26, e Carlos Alberto, aos 41 minutos do segundo tempo
Arbitragem: Rudolf Gloeckner (Alemanha), auxiliado por Ruedi Scheurer (Suíça) e Norberto Angel Coerezza (Argentina)
Cartões amarelos: Rivellino (Brasil); Burgnich (Itália)
Público: 107.412

Todos os convocados

Nº	Jogador	Posição	Clube	Jogos	Minutos	Gols	A	V
1	Félix	goleiro	Fluminense	6	540	(7)	0	0
2	Brito	zagueiro	Flamengo	6	540	0	0	0
3	Piazza	volante	Cruzeiro	6	540	0	0	0
4	Carlos Alberto	lateral	Santos	6	540	1	1	0
5	Clodoaldo	volante	Santos	6	524	1	0	0
6	Marco Antônio	lateral	Fluminense	2	124	0	0	0
7	Jairzinho	atacante	Botafogo	6	540	7		0
8	Gérson	armador	São Paulo	4	321	1	1	0
9	Tostão	atacante	Cruzeiro	6	518	2	1	0
10	Pelé	atacante	Santos	6	540	4	0	0
11	Rivellino	armador	Corinthians	5	450	3	1	0
12	Ado	goleiro	Corinthians	0	0	0	0	0
13	Roberto Miranda	atacante	Botafogo	2	32	0	0	0
14	Baldocchi	zagueiro	Palmeiras	0	0	0	0	0
15	Fontana	zagueiro	Cruzeiro	1	90	0	0	0
16	Everaldo	lateral	Grêmio	5	416	0	0	0
17	Joel Camargo	zagueiro	Santos	0	0	0	0	0
18	Paulo César Lima	armador	Botafogo	4	219	0	0	0
19	Edu	atacante	Santos	1	6	0	0	0
20	Dario	atacante	Atlético-MG	0	0	0	0	0
21	Zé Maria	lateral	Portuguesa	0	0	0	0	0
22	Leão	goleiro	Palmeiras	0	0	0	0	0

Curiosidades

Primeiro Tri
Na final entre Brasil e Itália estava em jogo a condição de primeiro tricampeão do mundo, o que garantia a posse definitiva da Taça Jules Rimet. Os italianos já haviam sido campeões em 1934 e 1938, e os brasileiros em 1958 e 1962.

Cartões em campo
Na Copa do Mundo de 1970 os cartões amarelo (advertência) e vermelho (expulsão) foram usados pela primeira vez, para facilitar a comunicação entre árbitros e jogadores.

Ataque 10
A linha de frente da Seleção Brasileira em 1970 era quase toda formada por jogadores que usavam a camisa 10 em seus clubes. Era assim com Pelé (Santos), Jairzinho (Botafogo), Rivellino (Corinthians) e Gérson (São Paulo). Só Tostão fugia à regra, pois jogava com a camisa 8 no Cruzeiro.

Substituições
Além dos cartões amarelo e vermelho, outra novidade na Copa do México foram as substituições, que até 1966, na Inglaterra, não eram permitidas. Cada equipe tinha o direito de substituir dois jogadores durante a partida.

Preto e branco
As imagens eram geradas em cores, mas, no Brasil a Copa de 1970 foi a última transmitida em preto e branco. As televisões com recepção em cores só chegaram ao País dois anos depois.

Improvisações
Para acomodar tantos craques em seu time, o técnico Zagallo teve de recorrer às improvisações. O volante Piazza jogou de zagueiro, o ponta de lança Jairzinho foi para a direita. O armador Rivellino ocupou a ponta esquerda, e Tostão, que jogava na mesma posição de Pelé, fez dupla com ele, atuando como centroavante.

Alemanha
1974

A Copa da Alemanha deu início ao maior jejum de títulos mundiais da história da Seleção Brasileira. O que mais impressiona é que, em 1974, a comissão técnica repetiu grande parte dos erros cometidos oito anos antes, na preparação para o Mundial da Inglaterra, onde o Brasil foi eliminado ainda na primeira fase.

Na Alemanha, o vexame não foi tão grande, mas esteve próximo. Zagallo foi mantido à frente da equipe e seguia contando com uma série de craques. É verdade que Gérson, Pelé e Tostão não defendiam mais a Seleção, mas, mesmo assim, o grupo de jogadores era muito forte.

Com uma preocupação defensiva exagerada, o time de Zagallo empatou sem gols as suas duas primeiras partidas, contra Iugoslávia e Escócia. Na última rodada da primeira fase, a vaga no Grupo 2 só seria conquistada com uma vitória de pelo menos três gols de diferença sobre o Zaire, que já tinha levado 9 a 0 dos iugoslavos. E foi sofrido, pois o terceiro gol sobre os africanos, marcado por Valdomiro, só saiu aos 34 minutos da etapa final.

A fórmula de disputa tinha mudado, e as semifinais foram disputadas em dois quadrangulares. E o rendimento da Seleção Brasileira até que melhorou. Nas duas primeiras rodadas do Grupo A, o time de Zagallo venceu a Alemanha Oriental (1 a 0) e a Argentina. Mesmo assim, chegou à última partida contra a poderosa Holanda de Cruyff precisando da vitória para ser finalista, pois os holandeses tinham vencido seus dois primeiros jogos e somavam melhor um saldo de gols melhor.

No primeiro tempo, o confronto com os holandeses teve um pouco mais de equilíbrio; Jairzinho e Paulo César Lima até mesmo desperdiçaram ótimas chances para marcar. Mas, na etapa final, os holandeses mandaram na partida e fizeram 2 a 0. Nova derrota foi sofrida na decisão do terceiro lugar, diante da Polônia.

Alemanha 1974

Primeira fase

BRASIL 0 X 0 IUGOSLÁVIA

BRASIL
Leão; Nelinho, Luiz Pereira, Marinho Peres e Marinho Chagas; Piazza, Paulo César Lima e Rivellino; Valdomiro, Jairzinho e Leivinha.
Técnico: Zagallo

IUGOSLÁVIA
Maric; Buljan, Hadziabidic, Musinic e Katalinski; Bogicevic, Petkovic e Oblak; Surjak, Acimovic e Dzajic.
Técnico: Miljan Miljanic

Data: 13 de junho de 1974
Local: Waldstadion (Frankfurt)
Arbitragem: Ruedi Scheurer (Suíça), auxiliado por Vital Loraux (Bélgica) e Luis Pestarino (Argentina)
Cartões amarelos: Oblak e Acimovic (Iugoslávia)
Público: 62.000

BRASIL 0 X 0 ESCÓCIA

BRASIL
Leão; Nelinho, Luiz Pereira, Marinho Peres e Marinho Chagas; Piazza, Paulo César Lima e Rivellino; Jairzinho, Mirandinha e Leivinha (Carpegiani). **Técnico:** Zagallo

ESCÓCIA
Harvey; McGrain, Jardine, Holton e Buchan; Bremner, Hay e Dalglish; Morgan, Jordan e Lorimer.
Técnico: Willie Ormond

Data: 18 de junho de 1974
Local: Waldstadion (Frankfurt)
Arbitragem: Arie van Germet (Holanda), auxiliado por Karoly Palotai (Hungria) e Erich Linemayr (Áustria)
Cartões amarelos: Marinho Chagas, Marinho Peres e Rivellino (Brasil)
Público: 50.000

BRASIL 3 X 0 ZAIRE

BRASIL
Leão; Nelinho, Luiz Pereira, Marinho Peres e Marinho Chagas; Piazza (Mirandinha), Carpegiani e Rivellino; Jairzinho, Leivinha (Valdomiro) e Edu.
Técnico: Zagallo

ZAIRE
Kazadi; Mwepu, Mukombo, Buhanga e Lobilo; Kibonge, Tsinabu (Kembo) e Mana; Ntumba, Kidumu (Kilasu) e Mayanga.
Técnico: Blagoje Vidinic

Data: 22 de junho de 1974
Local: Parkstadion (Gelsenkirchen)
Gols: Jairzinho, aos 12 minutos do primeiro tempo; Rivellino, aos 21, e Valdomiro, aos 34 minutos do segundo tempo
Arbitragem: Nicolae Rainea (Romênia), auxiliado por Aurélio Angonese (Itália) e Klaus Ohmsen (Alemanha Oriental)
Cartões Amarelos: Mirandinha (Brasil); Mwepu (Zaire)
Público: 35.000

Quadrangular semifinal

BRASIL 1 X 0 ALEMANHA ORIENTAL

BRASIL
Leão; Zé Maria, Luiz Pereira, Marinho Peres e Marinho Chagas; Carpegiani, Paulo César Lima e Rivellino; Valdomiro, Jairzinho e Dirceu.
Técnico: Zagallo

ALEMANHA ORIENTAL
Croy; Kische, Waetzlich, Lauck (Löwe) e Bransche; Weise, Streich e Hamman (Irmscher); Sparwasser, Kurbjuweit e Hoffman.
Técnico: Georg Buscher

Data: 26 de junho de 1974
Local: Niedersachsenstadion (Hannover)
Gol: Rivellino, aos 15 minutos do segundo tempo
Arbitragem: John Thomas (País de Gales), auxiliado por Dogan Babacan (Turquia) e Tony Boskovic (Áustria)
Cartões Amarelos: Dirceu, Carpegiani e Jairzinho (Brasil); Streich e Hamann (Alemanha Oriental)
Público: 58.463

BRASIL 2 X 1 ARGENTINA

BRASIL
Leão; Zé Maria, Luiz Pereira, Marinho Peres e Marinho Chagas; Carpegiani, Paulo César Lima e Rivellino; Valdomiro, Jairzinho e Dirceu.
Técnico: Zagallo

ARGENTINA
Carnevali; Heredia, Bargas, Glaría e Pedro Sá (Carrascosa); Squeo, Brindisi e Babington; Balbuena, Rubén Ayala e Mário Kempes (Housemann).
Técnico: Vladislao Cap

Data: 30 de junho de 1974
Local: Niedersachsenstadion (Hannover)
Gols: Rivellino, aos 32, e Brindisi, aos 35 minutos do primeiro tempo; Jairzinho, aos 4 minutos do segundo tempo
Arbitragem: Vital Lourax (Bélgica), auxiliado por Birame Ndiaye (Senegal) e John Taylor (Inglaterra)
Cartão Amarelo: Housemann (Argentina)
Público: 38.000

BRASIL 0 X 2 HOLANDA

BRASIL
Leão; Zé Maria, Luiz Pereira, Marinho Peres e Marinho Chagas; Carpegiani, Paulo César Lima (Mirandinha) e Rivellino; Valdomiro, Jairzinho e Dirceu.
Técnico: Zagallo

ZAIRE
Jongbloed; Suurbier, Rijsbergen, Haan e Krol; Jansen, Van Hanegem e Neeskens (Rinus Israel); Rep, Cruyff e Rensenbrink (De Jong).
Técnico: Rinus Michels

Data: 3 de julho de 1974
Local: Westfalenstadion (Dortmund)
Gols: Neeskens, aos 5, e Cruyff, aos 20 minutos do segundo tempo
Arbitragem: Kurt Tschenscher (Alemanha Ocidental), auxiliado por Robert Holley Davidson (Escócia) e Govinahsamy Suppiah (Cingapura)
Cartão Vermelho: Luiz Pereira (Brasil)
Cartões Amarelos: Zé Maria e Marinho Peres (Brasil); Rep (Holanda)
Público: 52.500

Disputa do 3º lugar

BRASIL 0 X 1 POLÔNIA

BRASIL	POLÔNIA
Leão; Zé Maria, Alfredo Mostarda, Marinho Peres e Marinho Chagas; Carpegiani, Ademir da Guia (Mirandinha) e Rivellino; Valdomiro, Jairzinho e Dirceu. **Técnico:** Zagallo	Tomaszewski; Szymanowski, Zmuda, Gorgon e Musial; Kasperczak (Cmikiewcz), Deyna e Maszcyk; Lato, Szarmach (Kapka) e Gadocha. **Técnico:** Kazimiersz Gorski

Data: 6 de julho de 1974
Local: Estadio Olímpico (Munique)
Gol: Lato, aos 31 minutos do segundo tempo
Arbitragem: Aurélio Angonese (Itália), auxiliado por Jafar Namdar (Irlanda) e Birame Ndiaye (Senegal)
Cartões amarelos: Jairzinho (Brasil); Kasperkzak (Polônia)
Público: 74.100

Todos os convocados

Nº	Jogador	Posição	Clube	Jogos	Minutos	Gols	A	V
1	Leão	goleiro	Palmeiras	7	630	(4)	0	0
2	Luiz Pereira	zagueiro	Palmeiras	6	536	0	0	1
3	Marinho Peres	zagueiro	Santos	7	630	0	2	0
4	Zé Maria	lateral	Corinthians	4	360	0	1	0
5	Piazza	volante	Cruzeiro	3	250	0	0	0
6	Marinho Chagas	lateral	Botafogo	7	630	0	1	0
7	Jairzinho	atacante	Botafogo	7	630	2	1	0
8	Leivinha	atacante	Palmeiras	3	174	0	0	0
9	César	atacante	Palmeiras	0	0	0	0	0
10	Rivellino	armador	Corinthians	7	630	3	1	0
11	Paulo César	armador	Flamengo	5	421	0	0	0
12	Renato	goleiro	Flamengo	0	0	0	0	0
13	Valdomiro	atacante	Internacional	6	521	1	0	0
14	Nelinho	lateral	Cruzeiro	3	270	0	0	0
15	Alfredo Mostarda	zagueiro	Palmeiras	1	90	0	0	0
16	Marco Antônio	lateral	Fluminense	0	0	0	0	0
17	Carpegiani	volante	Internacional	6	475	0	1	0
18	Ademir da Guia	armador	Palmeiras	1	66	0	0	0
19	Mirandinha	atacante	São Paulo	4	163	0	1	0
20	Edu	atacante	Santos	1	90	0	0	0
21	Dirceu	armador	Botafogo	4	360	0	1	0
22	Waldir Peres	goleiro	São Paulo	0	0	0	0	0

Curiosidades

Cartão vermelho
Os cartões amarelos e vermelhos só foram introduzidos pela Fifa na Copa do Mundo de 1970, no México. E o primeiro brasileiro a receber o vermelho foi o zagueiro Luiz Pereira, na partida contra a Holanda. O confronto foi muito violento e, por causa de uma entrada em Neeskens, o ex-jogador do Palmeiras foi expulso de campo.

Invencibilidade
O goleiro Leão passou 395 minutos sem sofrer gol na Copa da Alemanha. Ele não foi vazado nos empates com Iugoslávia e Escócia, ambos por 0 a 0, nem nas vitórias sobre Zaire (3 a 0) e Alemanha Oriental (1 a 0). Só foi tomar um gol aos 35 minutos do primeiro tempo da vitória de 2 a 1 sobre a Argentina. O autor da façanha foi Brindisi, em cobrança de falta.

Soco no vestiário
O temperamento explosivo do goleiro Leão somado às constantes descidas ao ataque do lateral esquerdo Marinho Chagas, só poderia terminar mesmo em confusão. O gol da vitória polonesa por 1 a 0 sobre o Brasil, na decisão do terceiro lugar, foi marcado justamente explorando as costas do lateral brasileiro. No vestiário, revoltado com a postura de Marinho Chagas, que não atendeu às instruções de guardar posição, Leão lhe deu um soco.

História curta
Ademir da Guia, foi sem dúvida, um dos grandes craques do futebol brasileiro em seu tempo. Dono de uma categoria impressionante, o Divino, apelido que ganhou pela sua classe, disputou apenas a Copa da Alemanha. E passou quase toda ela no banco de reservas. Só foi escalado por Zagallo na partida contra a Polônia, em que se disputava o terceiro lugar. E, mesmo assim, saiu de campo mais cedo, sendo substituído por Mirandinha, aos 21 minutos do segundo tempo.

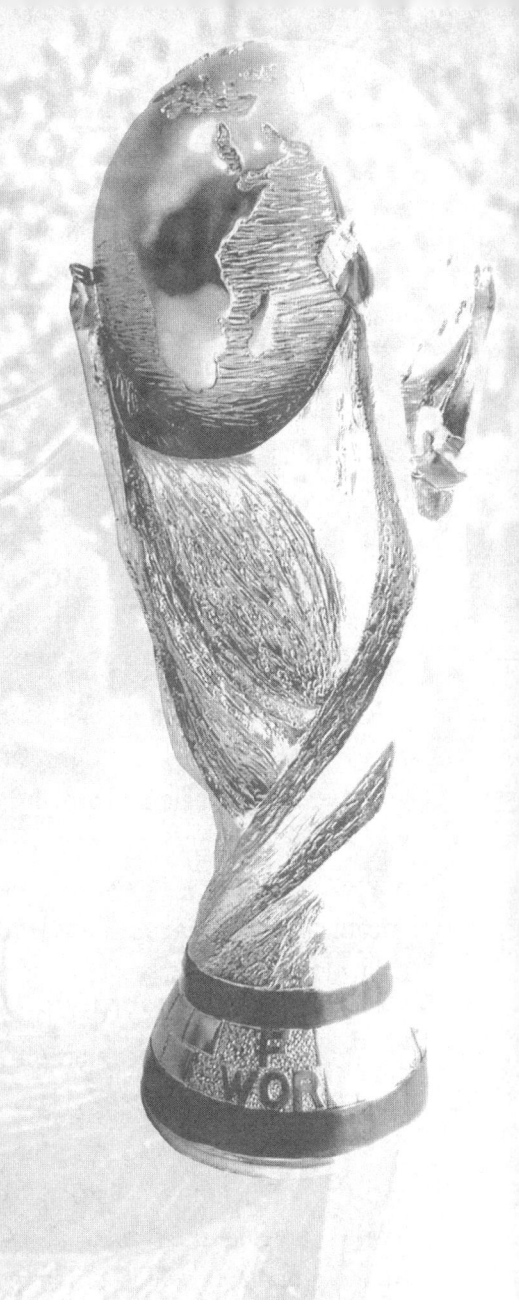

Argentina
1978

O Brasil se perdeu na tentativa de copiar o que foi feito pelas principais seleções europeias no Mundial de 1974. Zagallo não estava mais à frente da Seleção, que era comandada por Cláudio Coutinho, que havia feito parte da comissão técnica de 1970, no México, e que alcançou destaque dirigindo o Flamengo.

Coutinho era defensor do futebol polivalente, próximo ao que Alemanha Ocidental, Holanda e Polônia haviam mostrado quatro anos antes. Incorporou ao vocabulário do futebol brasileiro palavras como "overlapping", que era a passagem dos laterais, e "ponto futuro", o deslocamento de jogadores sem a bola.

Dentro de campo, o resultado não foi o esperado. A história foi muito parecida com a de 1974. Houve empate nos dois primeiros jogos, com Suécia (1 a 1) e Espanha (0 a 0), e a vaga só foi conquistada na última rodada, de forma ainda mais dramática, com uma suada vitória de 1 a 0 sobre a Áustria.

A fórmula de dois quadrangulares semifinais estava mantida, e o Brasil caiu no Grupo B, onde foi líder até o final. Venceu o Peru por 3 a 0, na primeira rodada, com facilidade e um futebol de melhor nível, em comparação com a primeira fase, empatou sem gols com a dona da casa, Argentina, em Rosário, e a decisão do classificado da chave para a decisão ficou para a última rodada.

Em partida que começou às 16h45, em Mendoza, o Brasil fez 3 a 1 na Polônia e até uma vitória por 3 a 0 da Argentina, sobre o Peru, a partir das 19h15, em Rosário, lhe daria a vaga. Mas os argentinos fizeram 6 a 0, numa partida em que são fortes as evidências de uma facilitação por parte dos peruanos. Restou à Seleção disputar outra vez o terceiro lugar. E vencer, fazendo 2 a 1, de virada, na Itália.

Argentina 1978

Primeira fase

BRASIL 1 X 1 SUÉCIA

BRASIL
Leão; Toninho, Oscar, Amaral e Edinho; Batista, Toninho Cerezo (Dirceu) e Rivellino; Gil (Nelinho), Reinaldo e Zico.
Técnico: Cláudio Coutinho

SUÉCIA
Hellström; Borg, Roy Andersson, Nordqvist e Erlandsson; Tapper, Linderoth e Lennart Larsson (Edström); Sjöberg, Bo Larsson e Wendt.
Técnico: Georg Ericsson

Data: 3 de junho de 1978
Local: Estádio Parque Municipal (Mar del Plata)
Gols: Sjoberg, aos 37, e Reinaldo, aos 45 minutos do primeiro tempo
Arbitragem: Clive Thomas (País de Gales), auxiliado por Alojzy Jarguz (Polônia) e Jafar Namdar (Irlanda do Norte)
Cartões amarelos: Oscar (Brasil); Wendt (Suécia)
Público: 32.569

BRASIL 0 X 0 ESPANHA

BRASIL
Leão; Nelinho (Gil), Oscar, Amaral e Edinho; Batista, Toninho Cerezo e Dirceu; Toninho, Reinaldo e Zico (Jorge Mendonça).
Técnico: Cláudio Coutinho

ESPANHA
Miguel Gonzalez; Uria (Guzman), Bianqueti (Biosca), Marcelino Perez e Olmo; Isidoro San José, Leal e Asensi; Cardenosa, Juanito e Santillana.
Técnico: Ladislao Kubala

Data: 7 de junho de 1978
Local: Estádio Parque Municipal (Mar del Plata)
Arbitragem: Sergio Gonella (Itália), auxiliado por Abraham Klein (Israel) e Arturo Andrés Ithurralde (Argentina)
Cartão amarelo: Leal (Espanha)
Público: 34.771

BRASIL 1 X 0 ÁUSTRIA

BRASIL
Leão; Toninho, Oscar, Amaral e Rodrigues Neto; Batista, Toninho Cerezo (Chicão) e Dirceu; Gil, Roberto Dinamite e Jorge Mendonça (Zico).
Técnico: Cláudio Coutinho

ÁUSTRIA
Koncila; Sara (Weber), Pezzey, Obermayer e Breitenberger; Hickersberger, Prohaska e Kreuz; Krieger (Happich), Krankl e Jará.
Técnico: Helmut Senekowitsch

Data: 11 de junho de 1978
Local: Estádio Parque Municipal (Mar del Plata)
Gol: Roberto Dinamite, aos 40 minutos do primeiro tempo
Arbitragem: Roberto Wurtz (França), auxiliado por Farouk Bouzo (Síria) e Tesfaye Gebreyesus (Eritreia)
Público: 35.221

Quadrangular semifinal

BRASIL 3 X 0 PERU

BRASIL
Leão; Toninho, Oscar, Amaral e Rodrigues Neto; Batista, Toninho Cerezo (Chicão) e Dirceu; Gil (Zico), Roberto Dinamite e Jorge Mendonça.
Técnico: Cláudio Coutinho

PERU
Quiroga; Duarte, Manzo, Chumpitaz e Ruben Toribio Díaz (Navarro); José Velásquez, Muñante e Cueto; La Rosa, Cubillas e Oblitas (Percy Rojas).
Técnico: Marcos Calderón

Data: 14 de junho de 1978
Local: Estádio San Martín (Mendoza)
Gols: Dirceu, aos 15 e 28 minutos do primeiro tempo; Zico, aos 28 minutos do segundo tempo
Arbitragem: Nicolai Rainea (Romênia), auxiliado por Jean Dubach (Suíça) e Werner Winsemann (Canadá)
Cartões amarelos: Roberto Dinamite (Brasil); Velásquez (Peru)
Público: 31.278

BRASIL 0 X 0 ARGENTINA

BRASIL
Leão; Toninho, Oscar, Amaral e Rodrigues Neto; Chicão, Batista e Dirceu; Gil, Roberto Dinamite e Jorge Mendonça (Zico).
Técnico: Cláudio Coutinho

ARGENTINA
Fillol; Olguín, Galván, Passarella e Tarantini; Ardiles (Villa), Gallego e Kempes; Bertoni, Luque e Ortiz (Alonso).
Técnico: César Menotti

Data: 18 de junho de 1978
Local: Estádio Cordiviola (Rosário)
Arbitragem: Karoly Palotai (Hungria), auxiliado por Erich Linemayr (Áustria) e Adolf Prokop (Alemanha Oriental)
Cartões amarelos: Chicão, Edinho e Zico (Brasil); Villa (Argentina)
Público: 37.326

BRASIL 3 X 1 POLÔNIA

BRASIL
Leão; Nelinho, Oscar, Amaral e Toninho; Batista, Toninho Cerezo (Rivellino) e Dirceu; Gil, Roberto Dinamite e Zico (Jorge Mendonça).
Técnico: Cláudio Coutinho

POLÔNIA
Kukla; Szymanowski, Maculewicz, Zmuda e Gorgon; Kasperczak (Lubanski), Deyna e Nawalka; Lato, Szarmach e Boniek.
Técnico: Jacek Gmoch

Data: 21 de junho de 1978
Local: Estádio San Martín (Mendoza)
Gols: Nelinho, aos 12, e Lato, aos 45 minutos do primeiro tempo; Roberto Dinamite, aos 12 e 18 minutos do segundo tempo
Arbitragem: Juan Silvagno Cavanna (Chile), auxiliado por Anatoly Ivanov (União Soviética) e Alfonso Archundia (México)
Cartões amarelos: Jorge Mendonça e Toninho Cerezo (Brasil)
Público: 39.586

Disputa do 3º lugar

BRASIL 2 X 1 ITÁLIA

BRASIL	ITÁLIA
Leão; Nelinho, Oscar, Amaral e Rodrigues Neto; Batista, Toninho Cerezo (Rivellino) e Dirceu; Gil (Reinaldo), Roberto Dinamite e Jorge Mendonça. **Técnico:** Cláudio Coutinho	Zoff; Gentile, Scirea, Cuccureddu e Cabrini; Patrizio Sala, Antognoni (Claudio Sala) e Maldera; Causio, Paolo Rossi e Bettega. **Técnico:** Enzo Bearzot

Data: 24 de junho de 1978
Local: Estádio Monumental de Núñez (Buenos Aires)
Gols: Causio, aos 38 minutos do primeiro tempo; Nelinho, aos 19, e Dirceu, aos 27 minutos do segundo tempo
Arbitragem: Abraham Klein (Israel), auxiliado por Alfonso Archundia (México) e Karoly Palotai (Hungria)
Cartões amarelos: Nelinho e Batista (Brasil); Gentile (Itália)
Público: 69.659

Todos os convocados

Nº	Jogador	Posição	Clube	Jogos	Minutos	Gols	A	V
1	Leão	goleiro	Palmeiras	7	630	(3)	0	0
2	Toninho	lateral	Flamengo	6	540	0	0	0
3	Oscar	zagueiro	Ponte Preta	7	630	0	1	0
4	Amaral	zagueiro	Corinthians	7	630	0	0	0
5	Toninho Cerezo	volante	Atlético-MG	6	458	0	1	0
6	Edinho	zagueiro	Fluminense	3	236	0	1	0
7	Zé Sérgio	atacante	São Paulo	0	0	0	0	0
8	Zico	atacante	Flamengo	6	206	1	1	0
9	Reinaldo	atacante	Atlético-MG	3	225	1	0	0
10	Rivellino	armador	Fluminense	3	129	0	0	0
11	Dirceu	armador	Vasco	6	460	3	0	0
12	Carlos	goleiro	Ponte Preta	0	0	0	0	0
13	Nelinho	lateral	Cruzeiro	4	261	2	1	0
14	Abel	zagueiro	Vasco	0	0	0	0	0
15	Polozzi	zagueiro	Ponte Preta	0	0	0	0	0
16	Rodrigues Neto	lateral	Botafogo	4	304	0	0	0
17	Batista	volante	Internacional	7	630	0	1	0
18	Gil	atacante	Botafogo	7	494	0	0	0
19	Jorge Mendonça	atacante	Palmeiras	6	421	0	1	0
20	Roberto Dinamite	atacante	Vasco	5	450	3	1	0
21	Chicão	volante	São Paulo	3	123	0	1	0
22	Waldir Peres	goleiro	São Paulo	0	0	0	0	0

Curiosidades

Campeão moral
A goleada de 6 a 0 da Argentina sobre uma apática Seleção Peruana revoltou os jogadores brasileiros e integrantes da comissão técnica. Após a vitória de 2 a 1 sobre a Itália, em Buenos Aires, na decisão do terceiro lugar, o técnico Cláudio Coutinho fez um desabafo que virou a marca da participação brasileira no Mundial de 1978. "Somos os campeões morais", afirmou o treinador.

Ausência
Na segunda metade da década de 1970, o volante Falcão encantava o Brasil com sua categoria, esbanjada na conquista do bicampeonato brasileiro com o Internacional, em 1975/1976. Mas, na lista de Cláudio Coutinho para a Copa, o craque ficou de fora. Em seu lugar entrou Chicão, do São Paulo, um jogador forte, valente, mas de qualidade técnica bem inferior. Esse é considerado o grande erro de Cláudio Coutinho.

Pé na estrada
Argentina e Brasil disputaram os mesmos sete jogos na Copa do Mundo de 1978, mas a diferença fica pela distância que cada seleção teve que percorrer durante a competição. Os argentinos viajaram apenas 618 quilômetros, ida e volta entre Buenos Aires e Rosário. Os brasileiros, que autaram em Mar del Plata, Mendoza, Rosário e Buenos Aires, totalizaram 4.659 quilômetros.

Bola no ar
Na partida de estreia da Seleção Brasileira no Mundial de 1978, aconteceu um lance que entrou para a história. Aos 45 minutos do segundo tempo, Nelinho cobrou um escanteio e Zico cabeceou a bola para o gol sueco. Seria o 2 a 1, mas o árbitro gaulês Clive Thomas anulou o lance, dizendo que tinha apitado o final da partida quando a bola estava no ar, antes da conclusão do brasileiro. Resultado: 1 a 1 e árbitro suspenso pela Fifa.

Espanha
1982

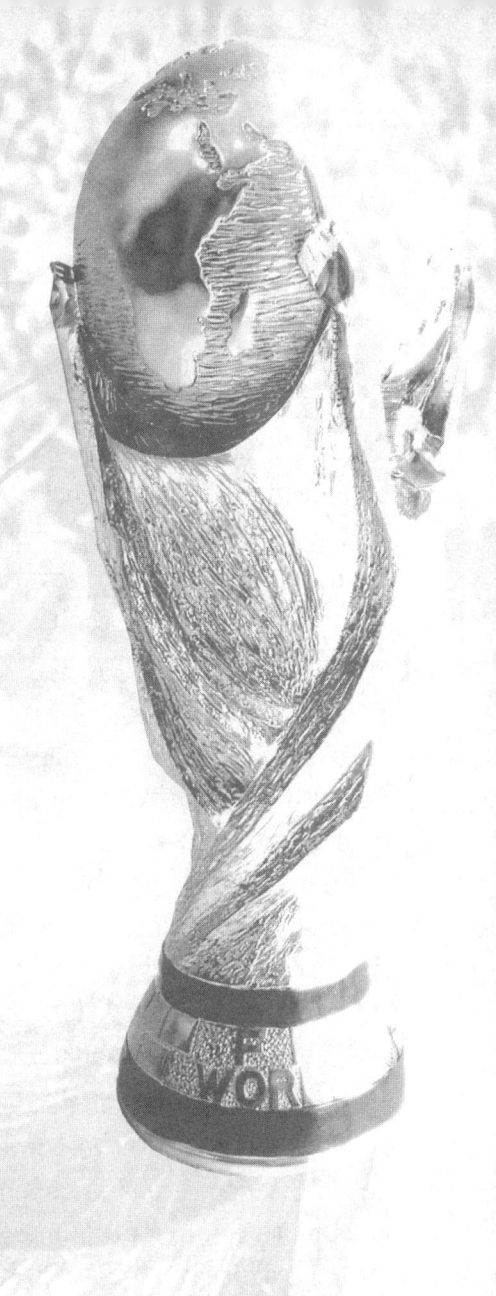

A alegria estava de volta ao futebol brasileiro. Com uma equipe recheada de craques como Leandro, Júnior, Toninho Cerezo, Falcão, Sócrates e Zico, e um futebol ofensivo, de muita qualidade, Telê Santana fez surgir a forte esperança de conquista do tetracampeonato no Mundial de 1982, na Espanha.

A vitória de 2 a 1, de virada, sobre a União Soviética, na estreia, foi suada, e só saiu no final, com chutes de fora da área de Sócrates e Éder, mas nas partidas seguintes, o futebol apresentado pelo time de Telê Santana encantou o mundo. A primeira fase foi encerrada com goleadas de 4 a 1, sobre a Escócia, e 4 a 0, sobre a Nova Zelândia.

O regulamento da Copa do Mundo tinha mudado de novo, e a fase seguinte seriam as quartas de final, disputadas com quatro grupos de três seleções cada um. E a chave do Brasil era muito forte, com Argentina, que defendia o título e contava com Maradona, e Itália.

Na primeira rodada do Grupo 3, a Itália, que vinha de três empates na primeira fase e em crise, fez 2 a 1 na Argentina. Na segunda rodada, com uma atuação de gala, o Brasil eliminou os hermanos fazendo 3 a 1, num jogo em que Maradona apelou e foi expulso.

Na última rodada, o Brasil, pelo melhor saldo de gols, precisava apenas do empate diante da Itália para alcançar as semifinais. Mas o time de Telê Santana errou demais na defesa. A Seleção Brasileira esteve sempre atrás no placar, mas chegou a buscar o empate por duas vezes. No final, a derrota de 3 a 2 acabou com o sonho do tetra. Paolo Rossi, que marcou os três gols italianos, se transformou no carrasco do futebol brasileiro.

Espanha 1982

Primeira fase

BRASIL 2 X 1 UNIÃO SOVIÉTICA

BRASIL	UNIÃO SOVIÉTICA
Waldir Peres; Leandro, Oscar, Luizinho e Júnior; Falcão, Sócrates, Dirceu (Paulo Isidoro) e Zico; Serginho e Éder. **Técnico:** Telê Santana	Dassaev; Sulakvelidze, Chivadze, Baltacha e Demianenko; Shengelija, Bessonov e Gavrilov (Suslopanov); Bal, Daraselija e Blokhin. **Técnico:** Konstantin Boskov

Data: 14 de junho de 1982
Local: Estádio Ramón Sanchez Pizjuán (Sevilla)
Gols: Bal, aos 34 minutos do primeiro tempo; Sócrates, aos 30, e Éder, aos 43 minutos do segundo tempo
Arbitragem: Augusto Lamo Castillo (Espanha), auxiliado por Victoriano Sanchez Arminio (Espanha) e José Garcia Carrión (Espanha)
Público: 68.000

BRASIL 4 X 1 ESCÓCIA

BRASIL	ESCÓCIA
Waldir Peres; Leandro, Oscar, Luizinho e Júnior; Falcão, Toninho Cerezo, Sócrates, e Zico; Serginho (Paulo Isidoro) e Éder. **Técnico:** Telê Santana	Rough; Narey, Hansen, Gray e William Miller; Hartford (McLeish), John Wark e Souness; Archibald, Strachan (Dalglish) e Robertson. **Técnico:** Jock Stein

Data: 18 de junho de 1982
Local: Estádio Benito Villamarin (Sevilla)
Gols: Narey, aos 18, e Zico, aos 33 minutos do primeiro tempo; Oscar, aos 3, Éder, aos 18, e Falcão, aos 42 minutos do segundo tempo
Arbitragem: Jesus Paulino Siles (Costa Rica), auxiliado por Chan Tam Sun (Hong Kong) e Adolf Prokop (Alemanha Oriental)
Público: 47.379

BRASIL 4 X 0 NOVA ZELÂNDIA

BRASIL	NOVA ZELÂNDIA
Waldir Peres; Leandro, Oscar (Edinho), Luizinho e Júnior; Falcão, Toninho Cerezo, Sócrates, e Zico; Serginho (Paulo Isidoro) e Éder. **Técnico:** Telê Santana	Van Hattum; Dodds, Richard Herbert, Almond e Elrick; Boath, Summer e McKay; Creswell (Brian Turner), Rufer (Duncan Cole) e Wooddin. **Técnico:** John Adshead

Data: 23 de junho de 1982
Local: Estádio Benito Villamarin (Sevilla)
Gols: Zico, aos 28 e 31 minutos do primeiro tempo; Falcão, aos 19, e Serginho, aos 25 minutos do segundo tempo
Arbitragem: Damir Matovinovic (Iugoslávia), auxiliado por Abraham Klein (Israel) e Charles Corver (Holanda)
Público: 43.000

Quartas de final

BRASIL 3 X 1 ARGENTINA

BRASIL	ARGENTINA
Waldir Peres; Leandro (Edevaldo), Oscar, Luizinho e Júnior; Falcão, Toninho Cerezo, Sócrates, e Zico (Batista); Serginho e Éder. **Técnico:** Telê Santana	Fillol; Olguín, Galván, Passarella e Tarantini; Barbas, Ardilles, Gabriel Calderón e Maradona; Bertoni (Santamaría) e Kempes (Ramon Díaz). **Técnico:** César Menotti

Data: 2 de julho de 1982
Local: Estádio Sarriá (Barcelona)
Gols: Zico, aos 11 minutos do primeiro tempo; Serginho, aos 21, Júnior, aos 20, e Ramon Díaz, aos 44 minutos do segundo tempo
Arbitragem: Mario Rubio Vazquez (México), auxiliado por Gilberto Murcia (Colômbia) e Gaston Makuc (Chile)
Cartão vermelho: Maradona (Argentina)
Cartões Amarelos: Waldir Peres e Falcão (Brasil); Passarella (Argentina)
Público: 44.000

BRASIL 2 X 3 ITÁLIA

BRASIL	**ITÁLIA**
Waldir Peres; Leandro, Oscar, Luizinho e Júnior; Falcão, Toninho Cerezo, Sócrates, e Zico; Serginho (Paulo Isidoro) e Éder.	Zoff; Gentile, Collovati (Bergomi), Scirea e Cabrini; Orialli, Tardelli (Marini) e Antognoni; Bruno Conti, Paolo Rossi e Graziani.
Técnico: Telê Santana	**Técnico:** Enzo Bearzot

Data: 5 de julho de 1982
Local: Estádio Sarriá (Barcelona)
Gols: Paolo Rossi, aos 5, Sócrates, aos 12, e Paolo Rossi, aos 25 minutos do primeiro tempo; Falcão, aos 23, e Paolo Rossi, aos 29 minutos do segundo tempo
Arbitragem: Abraham Klein (Israel), auxiliado por Chan Tam Sun (Hong Kong) e Bogdan Dotchev (Bulgária)
Cartões amarelos: Gentile e Oriali (Itália)
Público: 44.000

Todos os convocados

Nº	Jogador	Posição	Clube	Jogos	Minutos	Gols	A	V
1	Waldir Peres	goleiro	São Paulo	5	450	(6)	1	0
2	Leandro	lateral	Flamengo	5	450	0	0	0
3	Oscar	zagueiro	São Paulo	5	435	1	0	0
4	Luizinho	zagueiro	Atlético-MG	5	450	0	0	0
5	Toninho Cerezo	volante	Atlético-MG	4	360	0	0	0
6	Júnior	lateral	Flamengo	5	450	1	0	0
7	Paulo Isidoro	armador	Grêmio	4	91	0	0	0
8	Sócrates	armador	Corinthians	5	450	2	0	0
9	Serginho	atacante	São Paulo	5	404	2	0	0
10	Zico	atacante	Flamengo	5	443	4	0	0
11	Éder	atacante	Atlético-MG	5	450	2	0	0
12	Paulo Sérgio	goleiro	Botafogo	0	0	0	0	0
13	Edevaldo	lateral	Internacional	1	8	0	0	0
14	Juninho	zagueiro	Ponte Preta	0	0	0	0	0
15	Falcão	volante	Roma (ITA)	5	450	3	1	0
16	Edinho	zagueiro	Udinese (ITA)	1	15	0	0	0
17	Pedrinho	lateral	Vasco	0	0	0	0	0
18	Batista	volante	Grêmio	1	7	0	0	0
19	Renato	armador	São Paulo	0	0	0	0	0
20	Roberto Dinamite	atacante	Vasco	0	0	0	0	0
21	Dirceu	armador	Atlético de Madrid (ESP)	1	45	0	0	0
22	Carlos	goleiro	Ponte Preta	0	0	0	0	0

Curiosidades

Comemoração
O zagueiro Edinho, que foi reserva durante toda a Copa da Espanha, criou uma grande polêmica após a competição. Numa entrevista, ele afirmou que os atacantes Serginho e Éder recebiam mil dólares para comemorar os seus gols diante de determinada placa de publicidade. Mais tarde, o ex-jogador desmentiu tudo.

Corte
O atacante Careca, então com 21 anos, era uma grande aposta de Telê Santana para a Copa da Espanha. Veloz, técnico e ótimo finalizador, ele se encaixava bem no estilo de jogo da equipe. O problema é que ele sofreu uma contusão muscular apenas quatro dias antes da estreia do Brasil. Foi cortado do Mundial e substituído por Roberto Dinamite, que não participou de nenhum jogo.

Show
Após a goleada de 4 a 0 sobre a Nova Zelândia, pela última rodada da primeira fase, os jogadores da Seleção Brasileira ganharam uma folga e foram ao show do cantor Fágner, que estava se apresentando em Sevilha. O lateral Júnior, que tinha gravado a música "Voa, canarinho" antes da Copa, subiu ao palco e deu uma canja ao público.

"Estrangeiros"
O volante Falcão, da Roma, da Itália, o zagueiro Edinho, da também italiana Udinese, e o armador Dirceu, do Atlético de Madrid, da Espanha, foram os primeiros jogadores de clubes do exterior convocados para defender a Seleção Brasileira numa Copa do Mundo.

Entrosamento
Os 11 titulares de Telê Santana jogavam em apenas cinco times. O goleiro Waldir Peres, o zagueiro Oscar e o atacante Serginho eram do São Paulo. O zagueiro Luizinho, o volante Toninho Cerezo e o atacante Éder defendiam o Atlético-MG. Os laterais Leandro e Júnior e o atacante Zico jogavam no Flamengo. Falcão, da Roma, da Itália, e Sócrates, do Corinthians, completavam a equipe.

México
1986

Após a decepção na Espanha, em 1982, Carlos Alberto Parreira, Edu Antunes (irmão de Zico) e Evaristo de Macedo passaram pelo comando da Seleção Brasileira. Mas o Brasil foi ao México, disputar a Copa do Mundo de 1986, novamente com Telê Santana no comando.

O seu grupo de jogadores misturava remanescentes do grupo de 1982, como Júnior, Sócrates, Edinho, Zico, Falcão e Oscar, com promessas, como Júlio César, Branco, Müller, Silas, Valdo e Edivaldo.

O Brasil começou a disputa sem empolgar. Na estreia fez 1 a 0 na Espanha, com um gol de pênalti de Sócrates, numa partida em que o árbitro australiano Christopher Bambridge não viu um gol de Michel, quando o jogo ainda estava empatado. Na segunda rodada, a seleção apresentou um futebol ainda pior diante da Argélia, superada também por 1 a 0, gol de Careca.

Na última partida da primeira fase, a Seleção Brasileira conseguiu mostrar um bom futebol, na vitória por 3 a 0 sobre a Irlanda do Norte. A partida marcou ainda a estreia de Zico naquela Copa. Com séria contusão no joelho, ele não estava no melhor da sua forma física.

A empolgação brasileira aumentou após a goleada de 4 a 0 sobre a Polônia nas oitavas de final. O time fez a sua melhor atuação no Mundial e ganhou moral para encarar a França, adversária das quartas de final. Os dois times fizeram um jogo equilibrado, que terminou empatado em 1 a 1, no tempo normal e na prorrogação. A grande chance de vitória foi do Brasil, que teve um pênalti cobrado por Zico e defendido por Bats, aos 29 minutos do segundo tempo. A decisão, então, foi para os pênaltis, com vitória francesa. O Brasil era eliminado da Copa invicto.

México 1986

Primeira fase

BRASIL 1 X 0 ESPANHA

BRASIL
Carlos; Edson, Júlio César, Edinho e Branco; Elzo, Alemão, Júnior (Falcão) e Sócrates; Careca e Casagrande (Müller).
Técnico: Telê Santana

ESPANHA
Zubizarreta; Pedro Tomas, Victor Muñoz, Goicoechea e Camacho; Maceda, Michel e Francisco Javier Lopez (Senor); Butragueño, Julio Alberto e Salinas.
Técnico: Miguel Muñoz

Data: 1 de junho de 1986
Local: Estádio Jalisco (Guadalajara)
Gol: Sócrates, aos 17 minutos do segundo tempo
Arbitragem: Christopher Bambridge (Austrália), auxiliado por David Socha (Estados Unidos) e Jan Keizer (Holanda)
Cartões amarelos: Branco (Brasil); Julio Alberto (Espanha)
Público: 35.748

BRASIL 1 X 0 ARGÉLIA

BRASIL
Carlos; Edson (Falcão), Júlio César, Edinho e Branco; Elzo, Alemão, Júnior e Sócrates; Careca e Casagrande (Müller).
Técnico: Telê Santana

ARGÉLIA
Drid; Medjadi, Said, Megharia e Mansouri; Gundouz, Assad (Bensaoula), Mabrouk e Menad; Belloumi (Djamel Zidane) e Madjer.
Técnico: Rabah Saddane

Data: 6 de junho de 1986
Local: Estádio Jalisco (Guadalajara)
Gol: Careca, aos 21 minutos do segundo tempo
Arbitragem: Rômulo Mendez Molina (Guatemala), auxiliado por José Luiz Martinez Bazan (Uruguai) e Joel Quiniou (França)
Público: 48.000

BRASIL 3 X 0 IRLANDA DO NORTE

BRASIL
Carlos; Josimar, Júlio César, Edinho e Branco; Elzo, Alemão, Júnior e Sócrates (Zico); Careca e Müller (Casagrande).
Técnico: Telê Santana

IRLANDA DO NORTE
Pat Jennings; Nicholl, McDonald, O'Neill e Donaghy; Campbell (Armstrong), McIlroy, McCreery e Stewart; Colin Clarke e Whiteside (William Hamilton).
Técnico: Billy Bingham

Data: 12 de junho de 1986
Local: Estádio Jalisco (Guadalajara)
Gols: Careca, aos 15, e Josimar, aos 42 minutos do primeiro tempo; Careca, aos 42 minutos do segundo tempo
Arbitragem: Siegfried Kirschen (Alemanha Oriental), auxiliado por Idrissa Traore (Mali) e George Courtney (Inglaterra)
Cartão amarelo: Donaghy (Irlanda do Norte)
Público: 51.000

Oitavas de final

BRASIL 4 X 0 POLÔNIA

BRASIL
Carlos; Josimar, Júlio César, Edinho e Branco; Elzo, Alemão, Júnior e Sócrates (Zico); Careca e Müller (Silas).
Técnico: Telê Santana

POLÔNIA
Mlynarczyk; Wojcicki, Przybys (Furtok), Majewski e Ostrowski; Tarasiewicz, Jan Karas, Jan Urban (Zmuda) e Dziekanowski; Boniek e Smoralek.
Técnico: Antoni Piechniczek

Data: 16 de junho de 1986
Local: Estádio Jalisco (Guadalajara)
Gols: Sócrates, aos 30 minutos do primeiro tempo; Josimar, aos 10, Edinho, aos 34, e Careca, aos 38 minutos do segundo tempo
Arbitragem: Volker Roth (Alemanha Ocidental), auxiliado por Antonio Márquez Ramirez (México) e Alan Snoddy (Inglaterra)
Cartões amarelos: Careca e Edinho (Brasil)
Público: 45.000

Quartas de final

BRASIL 1 (3) X 1 (4) FRANÇA

BRASIL
Carlos; Josimar, Júlio César, Edinho e Branco; Elzo, Alemão, Júnior (Silas) e Sócrates; Careca e Müller (Zico).
Técnico: Telê Santana

FRANÇA
Bats; Amoros, Tusseau, Battiston e Bossi; Giresse (Ferreri), Tiganá, Fernandéz e Platini; Rocheteau (Bellone) e Stoprya.
Técnico: Henri Michel

Data: 21 de junho de 1986
Local: Estádio Jalisco (Guadalajara)
Gols: Careca, aos 17, e Platini, aos 40 minutos do primeiro tempo
Arbitragem: Ioan Igna (Romênia), auxiliado por Lajos Nemeth (Hungria) e Vojtech Christov (Tchecoslováquia)
Público: 65.000

Todos os convocados

Nº	Jogador	Posição	Clube	Jogos	Minutos	Gols	A	V
1	Carlos	goleiro	Corinthians	5	480	(1)	0	0
2	Edson	lateral	Corinthians	2	100	0	0	0
3	Oscar	zagueiro	São Paulo	0	0	0	0	0
4	Edinho	zagueiro	Udinese (ITA)	5	480	1	1	0
5	Falcão	volante	São Paulo	2	91	0	0	0
6	Júnior	volante	Torino (ITA)	5	440	0	0	0
7	Müller	atacante	São Paulo	5	225	0	0	0
8	Casagrande	atacante	Corinthians	3	189	0	0	0
9	Careca	atacante	São Paulo	5	480	5	1	0
10	Zico	atacante	Flamengo	3	92	0	0	0
11	Edivaldo	atacante	Atlético-MG	0	0	0	0	0
12	Paulo Victor	goleiro	Fluminense	0	0	0	0	0
13	Josimar	lateral	Botafogo	3	300	2	0	0
14	Júlio César	zagueiro	Guarani-SP	5	480	0	0	0
15	Alemão	volante	Botafogo	4	480	0	0	0
16	Mauro Galvão	zagueiro	Internacional	0	0	0	0	0
17	Branco	lateral	Fluminense	5	480	0	1	0
18	Sócrates	armador	Flamengo	5	437	2	0	0
19	Elzo	volante	Atlético-MG	5	480	0	0	0
20	Silas	armador	São Paulo	2	46	0	0	0
21	Valdo	armador	Grêmio	0	0	0	0	0
22	Leão	goleiro	Palmeiras	0	0	0	0	0

Curiosidades

Predestinado
O lateral direito Josimar não fazia parte da lista de 22 convocados do técnico Telê Santana. Na posição, o titular era Leandro, do Flamengo, e o reserva Edson, do Corinthians. Por solidariedade ao amigo Renato Gaúcho, cortado por indisciplina, Leandro pediu dispensa, e Josimar foi chamado para ficar na reserva. Na segunda partida do Brasil na Copa, Edson sofreu uma contusão muscular e Josimar virou titular no último jogo da primeira fase. E na sua estreia em Copas, marcou um golaço contra a Irlanda do Norte. Diante da Polônia, nas oitavas de final, repetiu a dose. E acabou garantindo presença na Seleção do Mundial, eleita pelos jornalistas, ao lado de nomes como Maradona e Lineker.

Regulamento
A fórmula de disputa da Copa do mundo mudou novamente em 1986. E a partir da segunda fase, a competição voltou a ser disputada no sistema de mata-mata, com oitavas, quartas de final, semifinal e final.

Leão de volta
Titular do Brasil nas Copas de 1974, na Alemanha, e 1978, na Espanha, e com a excelente média de apenas 0,5 gol sofrido por partida (foram sete em 14 jogos), o goleiro Leão foi preterido por Telê Santana no Mundial da Espanha, em 1982. Mas foi convocado, aos 36 anos, para ir ao México, como terceiro goleiro e assistir à Copa do banco. E ainda viu seu recorde de 395 minutos sem sofrer gol em Copas cair, pois Carlos passou 401 minutos sem ser vazado, até sofrer o gol de Platini nas quartas de final.

Pênaltis
Na partida contra a França, nas quartas de final, pela primeira vez a Seleção Brasileira participou de uma decisão por pênaltis em Copas do Mundo. E a experiência foi desagradável, pois os franceses ficaram com a vaga nas semifinais vencendo por 4 a 3.

Itália
1990

Ricardo Teixeira assumiu a Confederação Brasileira de Futebol em 1989 e nomeou Eurico Miranda, dirigente do Vasco, como o diretor de seleções. O cartola vascaíno entregou o cargo de treinador a Sebastião Lazaroni, que tinha feito bons trabalhos no futebol carioca e só. A conquista da Copa América de 1989, depois de 40 anos, deixou uma esperança, mas o que se viu na Copa da Itália, em 1990, foi um triste capítulo do futebol brasileiro, injustamente chamado de "Era Dunga".

Lazaroni apostava no esquema 3-5-2, mas era evidente que a preocupação defensiva era muito maior que a vontade de atacar. No seu grupo estava a base que seria tetracampeã quatro anos depois, nos Estados Unidos, mas faltou experiência, a ele e aos dirigentes, para administrar os bastidores de um Mundial.

A concentração brasileira vivia cheia de empresários, prometendo transferências aos jogadores. O grupo de jogadores se dividiu, nas discussões por premiação e pela participação nas cotas de publicidade.

Em campo, o time fez uma primeira fase muito ruim. O melhor momento foi na estreia, quando ganhou da Suécia por 2 a 1, com dois gols de Careca. Os adversários seguintes eram a fraca Costa Rica e a eterna freguesa Escócia, que foram batidas por apenas 1 a 0, em partidas de baixo nível técnico. Mas a Seleção se classificou em primeiro no Grupo C.

Nas oitavas de final, o Brasil tinha pela frente um clássico com a Argentina, que vinha de uma primeira fase ainda pior, classificando-se apenas como terceiro colocada do Grupo B. Foi a melhor apresentação da Seleção Brasileira no Mundial da Itália. O time perdeu inúmeras chances de gol e acabou castigado, com um gol de Caniggia, aos 35 minutos do segundo tempo. Mesmo assim, uma grande chance de empate ainda foi desperdiçada por Muller, aos 44.

Itália 1990

Primeira fase

BRASIL 2 X 1 SUÉCIA

BRASIL
Taffarel; Mozer, Mauro Galvão e Ricardo Gomes; Jorginho, Dunga, Alemão, Valdo (Silas) e Branco; Müller e Careca.
Técnico: Sebastião Lazaroni

SUÉCIA
Ravelli; Roland Nilsson, Peter Larsson e Ljüng (Strömberg); Schwarz, Ingesson, Limpar, Thern e Joakim Nilsson; Brolin e Magnusson (Pettersson).
Técnico: Olle Nordin

Data: 10 de junho de 1990
Local: Estádio Delle Alpi (Turim)
Gols: Careca, aos 40 minutos do primeiro tempo; Careca, aos 18, e Brolin, aos 34 minutos do segundo tempo
Arbitragem: Tullio Lanese (Itália), auxiliado por Michel Vautrot (França) e Neji Jouini (Tunísia)
Cartões amarelos: Mozer, Branco e Dunga (Brasil); Joakim Nilsson (Suécia)
Público: 62.628

BRASIL 1 X 0 COSTA RICA

BRASIL
Taffarel; Mozer, Mauro Galvão e Ricardo Gomes; Jorginho, Dunga, Alemão, Valdo (Silas) e Branco; Müller e Careca (Bebeto).
Técnico: Sebastião Lazaroni

COSTA RICA
Conejo; Marchena, Ronald Gonzalez, Montero e Chavez; Roger Flores, Chavaria, Oscar Ramirez e Jara (Mayers); Roger Gómez e Cayasso (Alexandre Guimarães).
Técnico: Bora Milutinovic

Data: 16 de junho de 1990
Local: Estádio Delle Alpi (Turim)
Gol: Müller, aos 33 minutos do primeiro tempo
Arbitragem: Neji Jouini (Tunísia), auxiliado por Jean Fidele Diramba (Gabão) e Jassim Mandi Abdul Rahman (Bahrein)
Cartões amarelos: Jorginho e Mozer (Brasil); Jara e Roger Gómez (Costa Rica)
Público: 58.007

BRASIL 1 X 0 ESCÓCIA

BRASIL
Taffarel; Ricardo Rocha, Mauro Galvão e Ricardo Gomes; Jorginho, Dunga, Alemão, Valdo (Silas) e Branco; Romário (Müller) e Careca.
Técnico: Sebastião Lazaroni

ESCÓCIA
Leighton; McKimmie, McPherson, McLeish e Malpas; Atken, McLeod (Gillespie), McStay e McCall; McCoist (Fleck) e Johnstone.
Técnico: Alex Roxburgh

Data: 20 de junho de 1990
Local: Estádio Delle Alpi (Turim)
Gol: Müller, aos 37 minutos do segundo tempo
Arbitragem: Helmut Kohl (Áustria), auxiliado por Michal Listkiewicz (Polônia) e Siegfried Kirschen (Alemanha)
Cartões amarelos: Johnston e McLeod (Escócia)
Público: 62.502

Oitavas de final

BRASIL 0 X 1 ARGENTINA

BRASIL
Taffarel; Ricardo Rocha, Mauro Galvão (Silas) e Ricardo Gomes; Jorginho, Dunga, Alemão (Renato Gaúcho), Valdo e Branco; Müller e Careca.
Técnico: Sebastião Lazaroni

ARGENTINA
Goycochea; Simon, Ruggeri, Monzón e Olarticoechea; Giusti, Basualdo, Troglio (Gabriel Calderón), Burruchaga e Maradona; Caniggia.
Técnico: Carlos Bilardo

Data: 24 de junho de 1990
Local: Estádio Delle Alpi (Turtim)
Gol: Caniggia, aos 35 minutos do segundo tempo
Arbitragem: Joel Quiniou (França), auxiliado por Alexey Spirin (Rússia) e Pierluigi Pairetto (Itália)
Cartão vermelho: Ricardo Gomes (Brasil)
Cartões amarelos: Ricardo Rocha e Mauro Galvão (Brasil); Monzón, Giusti e Goycochea (Argentina)
Público: 61.381

Todos os convocados

Nº	Jogador	Posição	Clube	Jogos	Minutos	Gols	A	V
1	Taffarel	goleiro	Internacional	4	360	(2)	0	0
2	Jorginho	lateral	Bayer Leverkusen (ALE)	4	360	0	1	0
3	Ricardo Gomes	zagueiro	Benfica (POR)	4	355	0	0	1
4	Dunga	volante	Fiorentina (ITA)	4	360	0	1	0
5	Alemão	volante	Napoli (ITA)	4	354	0	0	0
6	Branco	lateral	Porto (POR)	4	360	0	1	0
7	Bismarck	atacante	Vasco	0	0	0	0	0
8	Valdo	armador	Benfica (POR)	4	348	0	0	0
9	Careca	atacante	Napoli (ITA)	4	353	2	0	0
10	Silas	armador	Sporting (POR)	2	12	0	0	0
11	Romário	atacante	PSV Eindhoven (HOL)	1	65	0	0	0
12	Acácio	goleiro	Vasco	0	0	0	0	0
13	Mozer	zagueiro	Olympique Marselha (FRA)	2	180	0	2	0
14	Aldair	zagueiro	Benfica (POR)	0	0	0	0	0
15	Müller	atacante	Torino (ITA)	4	295	2	0	0
16	Bebeto	atacante	Vasco	1	7	0	0	0
17	Renato Gaúcho	atacante	Flamengo	1	6	0	0	0
18	Mazinho	lateral	Vasco	0	0	0	0	0
19	Ricardo Rocha	zagueiro	São Paulo	2	180	0	1	0
20	Tita	armador	Vasco	0	0	0	0	0
21	Mauro Galvão	zagueiro	Botafogo	4	354	0	1	0
22	Zé Carlos	goleiro	Flamengo	0	0	0	0	0

Curiosidades

Água argentina
Depois da partida, o lateral Branco saiu de campo reclamando que tinha tomado uma água dada pelos argentinos que o deixara sonolento. Na época não se deu muita importância, mas depois começaram a surgir evidências de que o jogador pode mesmo ter tomado a chamada água "batizada". Numa entrevista, em janeiro de 2005, o técnico argentino Carlos Bilardo insinuou que o episódio realmente aconteceu. No mesmo ano, num programa da TV argentina, Maradona confirmou tudo e até informou o nome da substância. Era um calmante chamado Rohypnol.

Dupla no banco
Romário e Bebeto foram destaques na conquista do tetracampeonato pela Seleção Brasileira em 1994, nos Estados Unidos, marcando oito dos onze gols do time de Carlos Alberto Parreira. Quatro anos antes, eles fizeram parte do grupo de Sebastião Lazaroni, mas praticamente não tiveram chance de jogar. O Baixinho jogou apenas 65 minutos na vitória de 1 a 0 sobre a Escócia, na última rodada da primeira fase. Para Bebeto, a Copa foi ainda mais curta. Ele jogou sete minutos contra a Costa Rica.

Líbero
O líbero é a função, inventada pelos europeus, de um jogador que se posiciona atrás da linha de zagueiros, mas que também tem liberdade para aparecer de surpresa no ataque. Lazaroni tentou implantar essa tática na Seleção Brasileira em 1990, atribuindo a função a Mauro Galvão. Na equipe brasileira, a estratégia não deu certo, mais por culpa do treinador que pela capacidade técnica de Mauro Galvão, que tinha muita qualidade.

Injustiçado
O armador Neto, do Corinthians, era o grande jogador do futebol nacional em 1990, pois, naquele ano, conduziu o time paulista ao seu primeiro título brasileiro. Mas ele acabou fora da lista de Sebastião Lazaroni, que preferiu levar para a Itália os vascaínos Bismarck e Tita, que já haviam trabalhado com ele.

Estados Unidos
1994

O Brasil já vivia um jejum de 24 anos sem um título mundial. A pressão sobre a Seleção Brasileira só não era maior que o descrédito que a equipe carregava, pois viveu períodos muito difíceis antes do Mundial dos Estados Unidos. O time de Carlos Alberto Parreira foi alvo de muitas críticas, e seu esquema tático era bastante contestado.

Parreira soube administrar toda a situação. E ainda armou uma equipe sólida, que deu uma nova consciência tática ao futebol brasileiro. Passou-se a perceber que o esporte é feito de ataque e defesa. Era o famoso equilíbrio, tão falado pelos treinadores e que o Brasil teve de sobra nos gramados norte-americanos.

O time passou pela primeira fase com boas vitórias sobre Rússia (2 a 0) e Camarões (3 a 0). Só na última rodada, com a equipe já entrando em campo classificada, o empate por 1 a 1 com a Suécia foi suado, mas o suficiente para garantir a primeira posição do Grupo B.

Nas oitavas de final, houve um confronto dramático com os Estados Unidos, donos da casa, justamente num 4 de julho, dia da Independência. Leonardo foi expulso no final do primeiro tempo e a vitória foi magra, de 1 a 0, gol de Bebeto. Nas quartas de final, quando Bebeto fez 2 a 0 sobre a Holanda, aos 18 minutos do segundo tempo, a fatura parecia liquidada. Mas os holandeses conseguiram o empate. O gol da vitória, de Branco, cobrando falta, só saiu aos 36 minutos. Nas semifinais, novo confronto com a Suécia, e vitória por 1 a 0, gol de cabeça de Romário.

A decisão colocava novamente Brasil e Itália frente a frente. Uma das equipes deixaria o Rose Bowl como a única tetracampeã mundial. Depois de um empate sem gols no tempo normal e prorrogação, a Seleção quebrou o jejum e foi a primeira, e até hoje única, campeã mundial nos pênaltis.

Estados Unidos 1994

Primeira fase

BRASIL 2 X 0 RÚSSIA

BRASIL
Taffarel; Jorginho, Ricardo Rocha (Aldair), Márcio Santos e Leonardo; Dunga, Mauro Silva (Mazinho), Zinho e Raí; Bebeto e Romário.
Técnico: Carlos Alberto Parreira

RÚSSIA
Kharin; Gorlukovich, Nikiforov, Ternawski e Kuznetsov; Khlestov, Karpin, Piatnitski e Tsymbalar; Radchenko (Borodiuk) e Yuran (Salenko).
Técnico: Pavel Sadyrin

Data: 20 de junho de 1994
Local: Estádio Stanford (San Francisco)
Gols: Romário, aos 26 minutos do primeiro tempo; Raí, aos 7 minutos do segundo tempo
Arbitragem: An-Yan Lim Kee Chong (Ilhas Maurício), auxiliado por El Jilali Mohamed Rharib (Marrocos) e Domenico Ramicone (Itália)
Cartões amarelos: Nikiforov, Khlestov e Kuznetsov (Rússia)
Público: 81.061

BRASIL 3 X 0 CAMARÕES

BRASIL
Taffarel; Jorginho, Aldair, Márcio Santos e Leonardo; Dunga, Mauro Silva, Zinho (Paulo Sérgio) e Raí (Müller); Bebeto e Romário.
Técnico: Carlos Alberto Parreira

CAMARÕES
Bell; Tataw, Agbo, Song e Kalla; Marc Foé, Libiih, Mbouh e Mfede (Kessak); Oman-Biyik e Embé (Roger Milla).
Técnico: Henri Michel

Data: 28 de junho de 1994
Local: Estádio Stanford (San Francisco)
Gols: Romário, aos 39 minutos do primeiro tempo; Márcio Santos, aos 21, e Bebeto, aos 28 minutos do segundo tempo
Arbitragem: Arturo Brizio (México), auxiliado por Douglas Micael James (Trinidad e Tobago) e Carl-Johan Meyer Christensen (Dinamarca)
Cartão vermelho: Song (Camarões)
Cartões amarelos: Mauro Silva (Brasil); Tataw e Kalla (Camarões)
Público: 83.401

BRASIL 1 X 1 SUÉCIA

BRASIL
Taffarel, Jorginho, Aldair, Márcio Santos e Leonardo; Dunga, Mauro Silva (Mazinho), Zinho e Raí (Paulo Sérgio); Bebeto e Romário.
Técnico: Carlos Alberto Parreira

SUÉCIA
Ravelli; Roland Nilsson, Patrik Andersson, Kamark e Ljüng; Schwarz (Mild), Ingesson, Thern e Brolin; Larsson (Blomqvist) e Kennet Andersson.
Técnico: Tommy Svensson

Data: 28 de junho de 1994
Local: Estádio Pontiac Silverdome (Detroit)
Gols: Kennet Anderson, aos 23 minutos do primeiro tempo; Romário, a 1 minuto do segundo tempo
Arbitragem: Sandor Puhl (Hungria), auxiliado por Sandor Marton (Hungria) e Luc Matthys (Bélgica)
Cartões amarelos: Aldair (Brasil); Mild (Suécia)
Público: 77.217

Oitavas de final

BRASIL 1 X 0 ESTADOS UNIDOS

BRASIL
Taffarel, Jorginho, Aldair, Márcio Santos e Leonardo; Dunga, Mauro Silva, Mazinho e Zinho (Cafu); Bebeto e Romário.
Técnico: Carlos Alberto Parreira

ESTADOS UNIDOS
Meola; Clavijo, Balboa, Alexi Lalas e Caligiuri; Dooley, Tab Ramos (Wynalda), Sorber e Hugo Perez (Wegerle); Cobi Jones e Ernie Stewart.
Técnico: Bora Milutinovic

Data: 4 de julho de 1994
Local: Estádio Stanford (San Francisco)
Gol: Bebeto, aos 27 minutos do segundo tempo
Arbitragem: Joel Quiniou (França), auxiliado por Park Hae-Yong (Coreia do Sul) e Mikael Erik Eversting (Suécia)
Cartões vermelhos: Leonardo (Brasil) e Clavijo (Estados Unidos)
Cartões amarelos: Mazinho e Jorginho (Brasil); Tab Ramos, Caligiuri e Dooley (Estados Unidos)
Público: 84.147

Quartas de final

BRASIL 3 X 2 HOLANDA

BRASIL
Taffarel, Jorginho, Aldair, Márcio Santos e Branco (Cafu); Dunga, Mauro Silva, Mazinho (Raí) e Zinho; Bebeto e Romário.
Técnico: Carlos Alberto Parreira

HOLANDA
De Goej; Ronald Koeman, Valckx e Wouters; Winter, Rijkaard (Ronaldo de Bôer), Jonk e Witschge; Overmars, Bergkamp e Van Vossen (Brian Roy).
Técnico: Dick Advocaat

Data: 9 de julho de 1994
Local: Estádio Cotton Bowl (Dallas)
Gols: Romário, aos 8, Bebeto, aos 18, Bergkamp, aos 19, Winter, aos 31, e Branco, aos 36 minutos do segundo tempo
Arbitragem: Rodrigo Badilla Sequeira (Costa Rica), auxiliado por Yousif Abdulla Al Ghattan (Bahamas) e Davoud Fanaei (Irlanda)
Cartões amarelos: Dunga (Brasil); Winter e Wouters (Holanda)
Público: 63.500

Semifinal

BRASIL 1 X 0 SUÉCIA

BRASIL
Taffarel; Jorginho, Aldair, Márcio Santos e Branco (Cafu); Dunga, Mauro Silva, Mazinho (Raí) e Zinho; Bebeto e Romário.
Técnico: Carlos Alberto Parreira

SUÉCIA
Ravelli; Roland Nilsson, Patrik Andersson, Bjorkblund e Ljüng; Ingesson, Thern, Mild e Brolin; Dahlin (Rehn) e Kennet Andersson.
Técnico: Tommy Svensson

Data: 13 de julho de 1994
Local: Estádio Rose Bowl (Los Angeles)
Gol: Romário, aos 35 minutos do segundo tempo
Arbitragem: José Joaquim Torres Cadena (Colômbia), auxiliado por Sandor Marton (Hungria) e Luc Matthys (Bélgica)
Cartão vermelho: Thern (Suécia)
Cartões amarelos: Zinho (Brasil); Ljung e Brolin (Suécia)
Público: 91.856

Final

BRASIL 0 (3) X 0 (2) ITÁLIA

BRASIL	ITÁLIA
Taffarel; Jorginho (Cafu), Aldair, Márcio Santos e Branco; Dunga, Mauro Silva, Mazinho e Zinho (Viola); Bebeto e Romário. **Técnico:** Carlos Alberto Parreira	Pagliuca; Benarrivo, Mussi (Apolloni), Baresi e Maldini; Albertini, Dino Baggio (Evani), Nicola Berti e Donadoni; Roberto Baggio e Massaro. **Técnico:** Arrigo Sacchi

Data: 17 de julho de 1994
Local: Estádio Rose Bowl (Pasadena)
Arbitragem: Sandor Puhl (Hungria), auxiliado por Venâncio Zarate (Paraguai) e Francisco Lamolina (Argentina)
Cartões amarelos: Mazinho e Cafu (Brasil); Apolloni e Albertini (Itália)
Público: 94.194
Pênaltis: Brasil 3 (Romário, Branco e Dunga), Itália 2 (Albertini e Evani). Márcio Santos (Brasil) e Baresi, Massaro e Roberto Baggio (Itália), perderam

Todos os convocados

Nº	Jogador	Posição	Clube	Jogos	Minutos	Gols	A	V
1	Taffarel	goleiro	Reggina (ITA)	7	660	(3)	0	0
2	Jorginho	lateral	Bayern Munique (ALE)	7	561	0	1	0
3	Ricardo Rocha	zagueiro	Vasco	1	69	0	0	0
4	Ronaldão	zagueiro	Shimizu (JAP)	0	0	0	0	0
5	Mauro Silva	volante	La Coruña (ESP)	7	615	0	1	0
6	Branco	lateral	Fluminense	3	300	1	0	0
7	Bebeto	atacante	La Coruña (ESP)	7	660	3	0	0
8	Dunga	volante	Stuttgart (ALE)	7	650	0	1	0
9	Zinho	armador	Palmeiras	7	610	0	1	0
10	Raí	armador	Paris Saint Germain (FRA)	5	308	1	0	0
11	Romário	atacante	Barcelona (ESP)	7	660	5	0	0
12	Zetti	goleiro	São Paulo	0	0	0	0	0
13	Aldair	zagueiro	Roma (ITA)	7	591	0	1	0
14	Cafu	lateral	São Paulo	3	121	0	1	0
15	Márcio Santos	zagueiro	Bordeaux (FRA)	7	660	1	0	0
16	Leonardo	armador	São Paulo	4	313	0		1
17	Mazinho	volante	Palmeiras	6	391	0	1	0
18	Paulo Sérgio	atacante	Bayer Leverkusen (ALE)	2	22	0	0	0
19	Müller	atacante	São Paulo	1	9	0	0	0
20	Ronaldo	atacante	Cruzeiro	0	0	0	0	0
21	Viola	atacante	Corinthians	1	24	0	0	0
22	Gilmar	goleiro	Flamengo	0	0	0	0	0

Curiosidades

Traíras
Dunga sofreu com o episódio da "Era Dunga" em 1990. E no momento em que o time e Parreira recebiam mais críticas, ele foi o principal alvo. Capitão da Seleção Brasileira, quando recebeu a taça na tribuna do Rose Bowl, mostrou-a para os fotógrafos brasileiros e desabafou: "Essa taça é para vocês, bando de traíras".

Fora da copa
O lateral Leonardo, que depois virou meia, teve sua carreira como jogador marcada pela educação e lealdade. O único episódio para ser apagado aconteceu justamente na Copa dos Estados Unidos, e o tirou do resto da competição. Aos 41 minutos do jogo das oitavas de final, contra os Estados Unidos, foi agarrado por trás pelo norte-americano Tab Ramos, que recebeu uma cotovelada tão forte do brasileiro que teve afundamento do malar. Leonardo foi expulso pelo árbitro francês Joel Quiniou e pegou quatro jogos de suspensão.

Supremacia
Com a vitória nos pênaltis sobre a Itália, na final do Mundial dos Estados Unidos, o Brasil manteve a supremacia sobre os italianos nos confrontos em Copas do Mundo valendo alguma colocação. O Brasil já havia levado a melhor na decisão de 1970 (4 a 1) e na disputa do terceiro lugar de 1978 (2 a 1). Os italianos ganharam dos brasileiros por duas vezes em Mundiais, mas as vitórias significaram apenas a classificação para a fase seguinte.

Baixinho
Romário foi o grande nome da Copa do Mundo de 1994. Marcou cinco gols, ganhou a Bola de Ouro, como melhor da competição, e no final do ano foi o primeiro brasileiro a ganhar o título de melhor do mundo da Fifa. O prêmio, criado em 1991, havia sido conquistado apenas por europeus: Matthaus (1991), Van Basten (1992) e Roberto Baggio (1993).

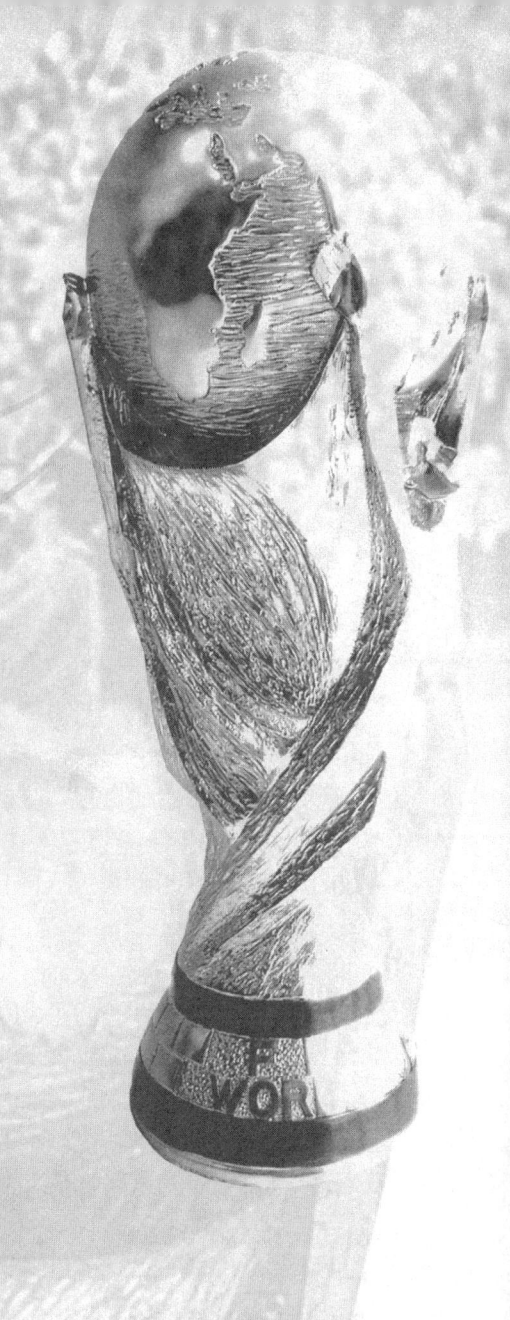

França
1998

O Brasil buscava o penta com Zagallo, que tinha sido coordenador técnico de Parreira em 1994, nos Estados Unidos, e dirigia a Seleção Brasileira numa Copa do Mundo pela terceira vez. Poucos dias antes da estreia, o atacante Romário foi cortado por contusão. O jogador, então, acusou Zagallo e Zico, que era seu coordenador técnico, de perseguição, pois pensava que se recuperaria a tempo de jogar pelo menos a reta final do Mundial.

Taffarel, Aldair, Dunga, Leonardo e Bebeto eram os titulares do tetra que seguiam na equipe. Cafu e Ronaldo, que haviam sido reservas nos Estados Unidos, também estavam no time de Zagallo. A equipe, mesmo sem muito brilho, foi avançando na competição.

A Seleção fez uma primeira fase discreta, vencendo Escócia (2 a 1) e Marrocos (3 a 0), e perdendo para a Noruega, por 2 a 1, quando já tinha inclusive a primeira posição do Grupo A assegurada. Goleou o Chile por 4 a 1, nas oitavas de final, e fez 3 a 2 na Dinamarca, nas quartas. Nas semifinais, numa grande partida, ficou no 1 a 1 com a Holanda nos 90 minutos, e no 0 a 0 na prorrogação, que tinha o chamado "Gol de Ouro". Nos pênaltis, o Brasil se garantiu em mais uma final de Copa do Mundo.

Os adversários eram os franceses, donos da casa. Mas aquele jogo começou a ser decidido na concentração brasileira. O atacante Ronaldo teve uma convulsão no dia da partida, que assustou os companheiros, e foi levado a um hospital de Paris. Os exames mostraram que ele não tinha nada. Então, o jogador pediu para entrar em campo; os médicos o liberaram, e Zagallo o escalou. O estresse pelo episódio do Fenômeno, somado ao cansaço da desgastante semifinal com a Holanda, fizeram do Brasil um time apático, que foi facilmente batido por 3 a 0, num dia em que poderia ter levado uma goleada histórica, tamanha foi a superioridade francesa.

França 1998

Primeira fase

BRASIL 2 X 1 ESCÓCIA

BRASIL
Taffarel; Cafu, Aldair, Júnior Baiano e Roberto Carlos; César Sampaio, Dunga, Giovanni (Leonardo) e Rivaldo; Ronaldo e Bebeto (Denílson).
Técnico: Zagallo

ESCÓCIA
Leighton; Calderwood, Hendry e Boyd; Burley, Lambert, Darren Jackson (McKinlay), John Collis e Dailly (McKinely); Durie e Gallacher.
Técnico: Craig Brown

Data: 10 de junho de 1998
Local: Stade de France (Saint Denis)
Gols: César Sampaio, aos 4, e John Collins, aos 38 minutos do primeiro tempo; Boyd (contra), aos 28 minutos do segundo tempo
Arbitragem: José Maria Garcia Aranda (Espanha), auxiliado por Fernando Tresaco Gracia (Espanha) e Jorge Luis Arango (Colômbia)
Cartões amarelos: César Sampaio e Aldair (Brasil); Darren Jackson (Escócia)
Público: 80.000

BRASIL 3 X 0 MARROCOS

BRASIL
Taffarel; Cafu, Aldair, Júnior Baiano e Roberto Carlos; César Sampaio (Doriva), Dunga, Leonardo e Rivaldo (Denílson); Ronaldo e Bebeto (Edmundo).
Técnico: Zagallo

MARROCOS
Benzekri; Saber (Abrami), Rossi, Naybet e El Hadrioui; Chippo, El Khalej, Chiba (Amzine) e Hadji; Hadda (El Khattabi) e Bassir.
Técnico: Henri Michel

Data: 16 de junho de 1998
Local: Estádio La Beaujoire (Nantes)
Gols: Ronaldo, aos 9, e Rivaldo, aos 47 minutos do primeiro tempo; Bebeto, aos 5 minutos do segundo tempo
Arbitragem: Nikolai Levnikov (Rússia), auxiliado por Yuri Dupanov (Bielorússia) e Mark Warren (Inglaterra)
Cartões amarelos: César Sampaio e Júnior Baiano (Brasil); Hadda e Chiba (Marrocos)
Público: 33.266

BRASIL 1 X 2 NORUEGA

BRASIL
Taffarel; Cafu, Gonçalves, Júnior Baiano e Roberto Carlos; Dunga, Leonardo e Rivaldo; Bebeto, Ronaldo e Denílson.
Técnico: Zagallo

ESCÓCIA
Grodas; Berg, Bjornebye, Heggem e Ronny Johnsen; Havard Flo (Solksjaer), Leonhardsen, Rekdal e Riseth (Jostein Flo); Strand (Mykland) e Tore Andre Flo.
Técnico: Egil Olsen

Data: 23 de junho de 1998
Local: Estádio Vélodrome (Marselha)
Gols: Bebeto, aos 33, Tore Andre Flo, aos 38, e Rekdal, aos 43 minutos do segundo tempo
Arbitragem: Esse Baharmast (Estados Unidos), auxiliado por Gennaro Mazzei (Itália) e Dramane Dante (Mali)
Cartões amarelos: Leonhardsen e Tore Andre Flo (Noruega)
Público: 55.000

Oitavas de final

BRASIL 4 X 1 CHILE

BRASIL
Taffarel; Cafu, Aldair (Gonçalves), Júnior Baiano e Roberto Carlos; César Sampaio, Dunga, Leonardo e Rivaldo; Ronaldo e Bebeto (Denílson).
Técnico: Zagallo

ESCÓCIA
Tapia; Javier Vargas, Fuentes e Reyes; Aros, Miguel Ramirez (Marcelo Veja), Sierra (Estay), Acuña (Mussri) e Cornejo; Marcelo Salas e Zamorano.
Técnico: Nelson Acosta

Data: 27 de junho de 1998
Local: Parque dos Príncipes (Paris)
Gols: César Sampaio, aos 11 e 27, e Ronaldo, aos 46 minutos do primeiro tempo; Marcelo Salas, aos 23, e Ronaldo, aos 25 minutos do segundo tempo
Arbitragem: Marc Batta (França), auxiliado por Jacques Poudevigne (França) e Owen Powell (Jamaica)
Cartões amarelos: Leonardo e Cafu (Brasil); Fuentes e Tapia (Chile)
Público: 45.500

Quartas de final

BRASIL 3 X 2 DINAMARCA

BRASIL	DINAMARCA
Taffarel; Cafu, Aldair (Gonçalves), Júnior Baiano e Roberto Carlos; César Sampaio, Dunga, Leonardo (Emerson) e Rivaldo (Zé Roberto); Ronaldo e Bebeto (Denílson). **Técnico:** Zagallo	Schmeichel; Colding, Rieper, Högh e Heintze; Jörgensen, Helveg (Schjönberg), Michael Laudrup e Alan Nielsen (Tofting); Peter Möller (Sand) e Brian Laudrup. **Técnico:** Bo Johansson

Data: 3 de julho de 1998
Local: Estádio La Beaujoire (Nantes)
Gols: Jörgensen, aos 2, Bebeto, aos 11, e Rivaldo, aos 27 minutos do primeiro tempo; Brian Laudrup, aos 5, e Rivaldo, aos 15 minutos do segundo tempo
Arbitragem: Gamal Ghandour (Egito), auxiliado por Mohamed Mansri (Tunísia) e Dramane Dante (Mali)
Cartões amarelos: Roberto Carlos, Aldair e Cafu (Brasil); Helveg, Colding e Tofting (Dinamarca)
Público: 35.500

Semifinal

BRASIL 1 (4) X 1 (2) HOLANDA

BRASIL	HOLANDA
Taffarel; Zé Carlos, Aldair, Júnior Baiano e Roberto Carlos; César Sampaio, Dunga, Leonardo (Emerson) e Rivaldo; Ronaldo e Bebeto (Denílson). **Técnico:** Zagallo	Van der Sar; Reiziger (Winter), Stam e Frank de Boer; Ronald de Boer, Jonk (Seedorf), Davids e Cocu; Bergkamp, Kluivert e Zenden (Van Hooijdonk). **Técnico:** Guus Hiddink

Data: 7 de julho de 1998
Local: Estádio Vélodrome (Marselha)
Gols: Ronaldo, a 1, e Kluivert, aos 42 minutos do segundo tempo
Arbitragem: Ali Bujsaim (Emirados Árabes Unidos), auxiliado por Hussain Ghadanfari (Kwuait) e Mohamed Al Musawi (Omã)
Cartões amarelos: Zé Carlos e César Sampaio (Brasil); Reizeger, Davids, Van Hooijdonk e Seedorf (Holanda)
Público: 54.000
Pênaltis: Brasil 4 (Ronaldo, Rivaldo, Emerson e Dunga), Holanda 2 (Frank de Boer e Bergkamp). Taffarel defendeu as cobranças de Cocu e Ronald de Boer

Final

BRASIL 0 X 3 FRANÇA

BRASIL
Taffarel; Cafu, Aldair, Júnior Baiano e Roberto Carlos; César Sampaio (Edmundo), Dunga, Leonardo (Denílson) e Rivaldo; Ronaldo e Bebeto.
Técnico: *Zagallo*

FRANÇA
Barthez; Thuram, Lebouef, Desailly e Lizarazu; Deschamps, Karembeu (Boghossian), Petit e Zidane; Djorkaeff (Vieira) e Guivarch (Dugarry).
Técnico: *Aimé Jacquet*

Data: 12 de julho de 1998
Local: Stade de France (Saint Denis)
Gols: Zidane. aos 27 e 46 minutos do primeiro tempo; Petit, aos 45 minutos do segundo tempo
Arbitragem: Said Belqola (Marrocos), auxiliado por Mark Warren (Inglaterra) e Achmat Salie (Arábia Saudita)
Cartão vermelho: Desailly (França)
Cartões amarelos: Júnior Baiano (Brasil); Deschamps e Karembeu (França)
Público: 80.000

Todos os convocados

Nº	Jogador	Posição	Clube	Jogos	Minutos	Gols	A	V
1	Taffarel	goleiro	Atlético-MG	7	660	(10)	0	0
2	Cafu	lateral	Roma (ITA)	6	540	0	2	0
3	Aldair	zagueiro	Roma (ITA)	6	557	0	2	0
4	Júnior Baiano	zagueiro	Flamengo	7	660	0	2	0
5	César Sampaio	volante	Yokohama Flugels (JAP)	6	533	3	3	0
6	Roberto Carlos		Real Madrid (ESP)	7	660	0	1	0
7	Giovanni	armador	Barcelona (ESP)	1	45	0	0	0
8	Dunga	volante	Jubilo Iwata (JAP)	7	660	0	0	0
9	Ronaldo	atacante	Internazionale (ITA)	7	660	4	0	0
10	Rivaldo	armador	Barcelona (ESP)	7	654	3	0	0
11	Emerson	volante	Bayer Leverkusen (ALE)	2	53	0	0	0
12	Carlos Germano	goleiro	Vasco	0	0	0	0	0
13	Zé Carlos	lateral	São Paulo	1	120	0	1	0
14	Gonçalves	zagueiro	Botafogo	2	103	0	0	0
15	André Cruz	zagueiro	Milan (ITA)	0	0	0	0	0
16	Zé Roberto	lateral	Flamengo	1	3	0	0	0
17	Doriva	volante	Porto (POR)	1	22	0	0	0
18	Leonardo	armador	Milan (ITA)	7	517	0	1	0
19	Denílson	atacante	São Paulo	7	259	0	0	0
20	Bebeto	atacante	Botafogo	7	521	3	0	0
21	Edmundo	atacante	Fiorentina (ITA)	2	33	0	0	0
22	Dida	goleiro	Cruzeiro	0	0	0	0	0

Curiosidades

Edmundo?
Como Ronaldo tinha ido a um hospital de Paris fazer exames para se tentar descobrir o motivo de sua convulsão, e ainda não se tinha tomado a decisão de que ele poderia enfrentar a França, na escalação que tem de ser liberada meia hora antes de cada jogo em Copas do Mundo, a comissão técnica do Brasil colocou Edmundo no lugar do Fenômeno. Na tribuna de imprensa do Stade de France, ninguém ainda sabia o que tinha acontecido, mas depois foi feita a troca.

Lavada
A derrota de 3 a 0 para a França, na final da Copa do Mundo de 1998, foi a maior da Seleção Brasileira em uma Copa do Mundo. Antes, o maior fracasso tinham sido os 4 a 2 diante da Hungria, nas quartas de final do Mundial de 1954, disputado na Suíça.

Recordistas
O goleiro Taffarel e o volante Dunga se tornaram os recordistas de partidas em Copas do Mundo com a camisa da Seleção Brasileira. Em 1990, na Itália, foram quatro; em 1994, nos Estados Unidos, mais sete; e na França, em 1998, também sete, totalizando dezoito. Eles deixaram para trás o atacante Jairzinho, que disputou dezesseis jogos entre 1966 e 1974. Em 2006, os dois seriam superados por Cafu.

Derrotas
Antes de levar 3 a 0 da França, na decisão, o Brasil já tinha perdido por 2 a 1, de virada, para a Noruega, na última rodada da primeira fase. Com isso, o time de Zagallo igualou as equipes de 1996 e 1974, até então as que tinham mais perdido em Copas do Mundo.

Vovô
Com 69 anos e 337 dias, Zagallo foi na França, em 1998, o treinador mais velho a dirigir a Seleção Brasileira numa Copa do Mundo. E alcançou a sua quinta final. Foram duas como jogador (1958 e 1962), duas como treinador (1970 e 1998) e uma como coordenador técnico (1994). Diante dos franceses, ele sofreu sua única derrota numa decisão de Mundial.

Coreia do Sul e Japão
2002

Pela primeira vez a Copa do Mundo era disputada na Ásia, com uma organização conjunta entre Coreia do Sul e Japão. E o Brasil chegou para a competição desacreditado. A Seleção enfrentou uma série de problemas entre os Mundiais de 1998 e 2002, com três trocas de treinadores e um momento político conturbado, por causa das CPIs da CBF/Nike e do Futebol. Se não bastasse isso, o técnico Luiz Felipe Scolari ainda sofria forte pressão popular e da imprensa, para que convocasse o atacante Romário.

Tudo isso serviu para fortalecer o grupo, que se fechou, formando o que se chamou de "Família Scolari". A grande dúvida era em relação à participação do atacante Ronaldo na Copa, pois ele tinha passado quase todo o período entre os Mundiais de 1998 e 2002 sem jogar por causa de contusões.

Ronaldo e a Seleção Brasileira souberam aproveitar o grupo fraco que o Brasil teve pela frente na primeira fase. O time só encontrou dificuldade na estreia, quando fez 2 a 1 na Turquia, de virada. Depois, passou fácil por China (4 a 0) e Costa Rica (5 a 2).

Após disputar toda a primeira fase na Coreia do Sul, quando a competição entrou no mata-mata, o Brasil se mudou para o Japão. E nas oitavas de final passou pela Bélgica, vencendo por 2 a 0, num jogo em que o árbitro jamaicano anulou um gol legítimo de Wilmots, quando o placar estava 0 a 0. Nas quartas de final, houve um grande desafio. O adversário era a Inglaterra, que saiu na frente. Com gols de Rivaldo e Ronaldinho Gaúcho, a Seleção virou.

A partir das semifinais, Ronaldo brilhou intensamente. Fez o gol da vitória de 1 a 0 sobre a Turquia, que já tinha sido batida na estreia, e marcou duas vezes nos 2 a 0 sobre a Alemanha, que garantiram o penta.

Coreia do Sul e Japão 2002

Primeira fase

BRASIL 2 X 1 TURQUIA

BRASIL
Marcos; Lúcio, Edmilson e Roque Júnior; Cafu, Gilberto Silva, Juninho Paulista (Vampeta), Ronaldinho Gaúcho (Denílson) e Roberto Carlos; Ronaldo (Luizão) e Rivaldo.
Técnico: Luiz Felipe Scolari

TURQUIA
Rustu; Korkmaz (Mansiz), Akyel e Ozat; Ozalan, Kerimoglu, Unsal, Belozoglu e Bastrük (Davala); Hasan Sas e Sukür.
Técnico: Senol Günes

Data: 3 de junho de 2002
Local: Munsu Aid Stadium (Ulsan)
Gols: Hasan Sas, aos 45 minutos do primeiro tempo; Ronaldo, aos 14, e Rivaldo, aos 41 minutos do segundo tempo
Arbitragem: Kim Young Joo (Coreia do Sul), auxiliado por Visva Krishnan (Cingapura) e Vladimir Fernandez (Eslovênia)
Cartões vermelhos: Ozalan e Unsal (Turquia)
Cartões amarelos: Denílson (Brasil); Akyel (Turquia)
Público: 33.842

BRASIL 4 X 0 CHINA

BRASIL
Marcos; Lúcio, Edmilson e Anderson Polga; Cafu, Gilberto Silva, Juninho Paulista (Ricardinho), Ronaldinho Gaúcho (Denílson) e Roberto Carlos; Ronaldo (Edílson) e Rivaldo.
Técnico: Luiz Felipe Scolari

CHINA
Jiang Jin; Xu Yanlong, Du Wei e Li Weifeng; Wu Chengyang, Li Tié, Li Xiaopeng, Zhao Junzhe e Qi Hong (Shao Jiayi); Ma Mingyu (Yong Pu) e Hao Haidong (Qu Bo).
Técnico: Bora Milutinovic

Data: 8 de junho de 2002
Local: Jeju World Cup Stadium (Seogwipo)
Gols: Roberto Carlos, aos 15, Rivaldo, aos 32, e Ronaldinho Gaúcho, aos 45 minutos do primeiro tempo; Ronaldo, aos 10 minutos do segundo tempo
Arbitragem: Anders Frisk (Suécia), auxiliado por Leif Lindberg (Suécia) e Bomer Fierro (Equador)
Cartões amarelos: Ronaldinho Gaúcho e Roque Júnior (Brasil)
Público: 36.750

BRASIL 5 X 2 COSTA RICA

BRASIL	COSTA RICA
Marcos; Lúcio, Edmilson e Anderson Polga; Cafu, Gilberto Silva, Juninho Paulista (Ricardinho), Rivaldo (Kaká) e Júnior; Ronaldo e Edílson (Kléberson). **Técnico:** Luiz Felipe Scolari	Lonnis; Wright, Marin, Martinez (Parks) e Wallace (Bryce); Solis (Fonseca), Lopez, Castro e Centeno; Ronald Gómez e Wanchope. **Técnico:** Alexandre Guimarães

Data: 13 de junho de 2002
Local: Suwon World Cup Stadium (Suwon)
Gols: Ronaldo, aos 10 e 13, Edmilson, aos 38, e Wanchope, aos 39 minutos do primeiro tempo; Ronald Gómez, aos 11, Rivaldo, aos 17, e Júnior, aos 19 minutos do segundo tempo
Arbitragem: Gamal Ghandour (Egito), auxiliado por Wagih Farag (Egito) e Egon Bereuter (Áustria)
Cartão amarelo: Cafu (Brasil)
Público: 38.524

Oitavas de final

BRASIL 2 X 0 BÉLGICA

BRASIL	BÉLGICA
Marcos; Lúcio, Edmilson e Roque Júnior; Cafu, Gilberto Silva, Juninho Paulista (Denílson), Ronaldinho Gaúcho (Kléberson) e Roberto Carlos; Ronaldo e Rivaldo (Ricardinho). **Técnico:** Luiz Felipe Scolari	Vlieger; Peeters (Sonck), Vanderhaeghe, Van Buyten e Van Kerckhoven; Walem, Simons, Goor, Verheyen e Wilmots; Mpenza. **Técnico:** Robert Waseige

Data: 17 de junho de 2002
Local: Home's Stadium (Kobe)
Gols: Rivaldo, aos 22, e Ronaldo, aos 42 minutos do segundo tempo
Arbitragem: Peter Prendergast (Jamaica), auxiliado por Yuri Dupanov (Bielorússia) e Mohamed Saeed (Moldávia)
Cartões amarelos: Roberto Carlos (Brasil); Vanderhaeghe (Bélgica)
Público: 40.440

Quartas de final

BRASIL 2 X 1 INGLATERRA

BRASIL
Marcos; Lúcio, Edmilson e Roque Júnior; Cafu, Gilberto Silva, Kléberson, Ronaldinho Gaúcho e Roberto Carlos; Ronaldo (Edílson) e Rivaldo.
Técnico: Luiz Felipe Scolari

INGLATERRA
Seaman; Mills, Rio Ferdinand, Sol Campbell e Ashley Cole (Sheringham); Butt, Beckham, Scholes e Sinclair (Dyer); Michael Owen (Vassell) e Heskey.
Técnico: Sven Goran Eriksson

Data: 26 de junho de 2002
Local: Shizuoka Stadium Ecopa (Shizuoka)
Gols: Michael Owen, aos 23, e Rivaldo, aos 47 minutos do primeiro tempo; Ronaldinho Gaúcho, aos 5 minutos do segundo tempo
Arbitragem: Felipe Ramos Rizo (México), auxiliado por Hector Vergara (Canadá) e Mohamed Saeed (Moldávia)
Cartão vermelho: Ronaldinho Gaúcho (Brasil)
Cartões amarelos: Scholes e Rio Ferdinand (Inglaterra)
Público: 47.436

Semifinal

BRASIL 1 X 0 TURQUIA

BRASIL
Marcos; Lúcio, Edmilson e Roque Júnior; Cafu, Gilberto Silva, Kléberson (Belletti), Rivaldo e Roberto Carlos; Edílson (Denílson) e Ronaldo (Luizão).
Técnico: Luiz Felipe Scolari

TURQUIA
Rustu; Korkmaz, Akyel e Alpay; Ozalan, Ergun, Kerimoglu, Davala (Izzet), Belozoglu (Mansiz) e Bastrük (Erdem); Hasan Sas e Sukür.
Técnico: Senol Günes

Data: 26 de junho de 2002
Local: Saitama Stadium (Saitama)
Gol: Ronaldo, aos 4 minutos do segundo tempo
Arbitragem: Kim Milton Nielsen (Dinamarca), auxiliado por Maciej Wierzbowski (Polônia) e Igor Sramka (Eslováquia)
Cartões amarelos: Gilberto Silva (Brasil); Kerimoglu e Sas (Turquia)
Público: 61.058

Final

BRASIL 2 X 0 ALEMANHA

BRASIL
Marcos; Lúcio, Edmilson e Roque Júnior; Cafu, Gilberto Silva, Kléberson, Ronaldinho Gaúcho e Roberto Carlos; Ronaldo e Rivaldo.
Técnico: Luiz Felipe Scolari

ALEMANHA
Kahn; Linke, Ramelow e Metzelder; Frings, Schneider, Hamann, Jeremies (Asamoah) e Bode (Ziege); Neuville e Klose (Bierhoff).
Técnico: Rudi Vöeller

Data: 30 de junho de 2002
Local: Yokohama
Gols: Ronaldo, aos 22 e 34 minutos do segundo tempo
Arbitragem: Pierluigi Colina (Itália), auxiliado por Leif Lindberg (Suécia) e Philip Sharp (Inglaterra)
Cartões amarelos: Roque Júnior (Brasil); Klose (Alemanha)
Público: 69.029

Todos os convocados

Nº	Jogador	Posição	Clube	Jogos	Minutos	Gols	A	V
1	Marcos	goleiro	Palmeiras	7	630	(4)	0	0
2	Cafu	lateral	Roma (ITA)	7	630	0	1	0
3	Lúcio	zagueiro	Bayer Leverkusen (ALE)	7	630	0	0	0
4	Roque Júnior	zagueiro	Milan (ITA)	6	540	0	2	0
5	Edmilson	zagueiro	Lyon (FRA)	6	540	1	0	0
6	Roberto Carlos	lateral	Real Madrid (ESP)	6	540	1	1	0
7	Ricardinho	armador	Corinthians	3	50	0	0	0
8	Gilberto Silva	volante	Atlético-MG	7	630	0	1	0
9	Ronaldo	atacante	Internazionale (ITA)	7	553	8	0	0
10	Rivaldo	armador	Barcelona (ESP)	7	612	5	0	0
11	Ronaldinho Gaúcho	atacante	Paris Saint Germain (FRA)	5	335	2	1	1
12	Dida	goleiro	Corinthians	0	0	0	0	0
13	Belletti	lateral	São Paulo	1	5	0	0	0
14	Anderson Polga	zagueiro	Grêmio	2	180	0	0	0
15	Kléberson	volante	Atlético-PR	5	307	0	0	0
16	Júnior	lateral	Parma (ITA)	1	90	1	0	0
17	Denílson	atacante	Betis (ESP)	5	117	0	1	0
18	Vampeta	volante	Corinthians	1	18	0	0	0
19	Juninho Paulista	armador	Flamengo	5	265	0	0	0
20	Edilson	atacante	Cruzeiro	4	170	0	0	0
21	Luizão	atacante	Grêmio	2	39	0	0	0
22	Rogério Ceni	goleiro	São Paulo	0	0	0	0	0
23	Kaká	armador	São Paulo	1	18	0	0	0

Curiosidades

Volta por cima
Ronaldo chegou desacreditado à Copa de 2002 e saiu como o destaque da competição e artilheiro, com 8 gols. Ele quebrou a escrita do goleador do Mundial marcar 6 gols, que durou entre 1978 e 1998, e teve um desempenho impressionante. A única partida em que ele não balançou as redes adversárias foi nas quartas de final, quando o Brasil fez 2 a 1 na Inglaterra, com gols de Rivaldo e Ronaldinho Gaúcho.

Recordista
Cafu se tornou em 2002 o primeiro e único jogador a disputar três finais de Copas do Mundo. Em 1994, ele era reserva, mas entrou no lugar de Jorginho, que se machucou logo no início de uma partida. Em 1998, na França, já era titular. Como capitão da equipe, foi ele quem ergueu a taça do penta.

Rodízio
Na filosofia da "Família Scolari", 21 dos 23 jogadores levados por Felipão para a Copa do Mundo da Coreia do Sul e Japão entraram em campo no Mundial. Os únicos que não participaram de pelo menos uma partida foram os goleiros Dida e Rogério Ceni, que eram reservas de Marcos.

Inédito
Brasil e Alemanha, as duas seleções que mais disputaram partidas em Copas do Mundo, nunca tinham se enfrentado na competição até a decisão de 2002. O Brasil, que era o único tetracampeão mundial na época, impediu, com a vitória, que os alemães igualassem o seu feito.

Camisa maldita
No segundo tempo da final, o zagueiro Edmilson precisou trocar de camisa e proporcionou um cena cômica. Como a camisa tinha um forro, ele se atrapalhou todo e levou quase um minuto para conseguir se vestir. Quando conseguiu, foi aplaudido pela torcida.

Alemanha 2006

Campeão da Copa América de 2004, mesmo com um time praticamente reserva, e da Copa das Confederações de 2005, na própria Alemanha, a Seleção Brasileira chegou ao Mundial de 2006 como a grande favorita ao título. Mas a equipe não soube conviver com isso. Desde a fase de preparação, que foi feita em Weggis, na Suíça, até a disputa, o que se viu foi uma equipe sem foco na competição, que se perdeu pela badalação.

Carlos Alberto Parreira comandava novamente a Seleção Brasileira, mas ao contrário de 1994, quando a equipe tinha o seu forte num esquema defensivo muito eficiente, a aposta na Copa da Alemanha era no Quadrado Mágico, nome que o setor ofensivo formado por Kaká, Ronaldinho Gaúcho, Ronaldo e Adriano ganhou da imprensa.

Na primeira fase, mesmo sem muito brilho, o Brasil não tive dificuldades para ficar com a primeira posição do Grupo F, vencendo as três partidas que disputou: Croácia (1 a 0), Austrália (2 a 0) e Japão (4 a 1).

Nas oitavas de final, diante de Gana, a Seleção Brasileira soube se impor. E venceu por 3 a 0, sem maiores dificuldades, deixando a impressão de que poderia crescer na competição, pela qualidade do time.

Mas a adversária nas quartas de final foi a França, que já tinha eliminado o Brasil na mesma fase, em 1986, no México, e que tinha levado a melhor na decisão de 1998, quando jogou em casa. O que se viu em campo foi uma enorme superioridade francesa.

Os dois times ainda contavam com alguns jogadores que participaram da Copa do Mundo de 1998, e o assunto antes da partida era uma possível revanche da Seleção Brasileira. Mas parece que só a França se motivou para a partida, e o placar de 1 a 0 foi pouco pela superioridade que teve em campo.

Alemanha 2006

Primeira fase

BRASIL 1 X 0 CROÁCIA

BRASIL	CROÁCIA
Dida; Cafu, Lúcio, Juan e Roberto Carlos; Emerson, Zé Roberto, Kaká e Ronaldinho Gaúcho; Adriano e Ronaldo (Robinho). **Técnico:** Carlos Alberto Parreira.	Pletikosa; Simunic, Robert Kovac, Simic e Srna; Tudor, Niko Kovac (Leko), Kranjcar e Babic; Prso e Klasnic (Olic). **Técnico:** Zlatko Kranjcar

Data: 13 de junho de 2006
Local: Estádio Olímpico (Berlim)
Gol: Kaká, aos 44 minutos do primeiro tempo
Arbitragem: Benito Archundia (México), auxiliado por José Ramirez (México) e Hector Vergara (Canadá)
Cartões amarelos: Niko Kovac, Robert Kovac e Tudor (Croácia); Emerson (Brasil)
Público: 72.000

BRASIL 2 X 0 AUSTRÁLIA

BRASIL	AUSTRÁLIA
Dida; Cafu, Lúcio, Juan e Roberto Carlos; Emerson (Gilberto Silva), Zé Roberto, Kaká e Ronaldinho Gaúcho; Adriano (Fred) e Ronaldo (Robinho). **Técnico:** Carlos Alberto Parreira.	Schwarzer; Sterjovski, Lucas Neill, Craig Moore (John Aloisi) e Scott Chipperfield; Jason Culina, Brett Emerton, Vincenzo Grella e Tony Popovic (Mark Bresciano); Cahill (Kewell) e Viduka. **Técnico:** Guus Hiddink

Data: 18 de junho de 2006
Local: Allianz Arena (Munique)
Gols: Adriano, aos 4, e Fred, aos 45 minutos do segundo tempo
Arbitragem: Markus Merk (Alemanha), auxiliado por Christian Schraer (Alemanha) e Jan-Hendrik Salver (Alemanha)
Cartões amarelos: Cafu, Robinho e Ronaldo (Brasil); Emerton e Culina (Austrália)
Público: 66.000

BRASIL 4 X 1 JAPÃO

BRASIL
Dida (Rogério Ceni); Cicinho, Lúcio, Juan e Gilberto; Gilberto Silva, Juninho Pernambucano, Kaká (Zé Roberto) e Ronaldinho Gaúcho (Ricardinho); Robinho e Ronaldo.
Técnico: Carlos Alberto Parreira.

JAPÃO
Kawaguchi; Kaji, Tsuboi, Nakazawa e Alex Santos; Inamoto, Ogasawara (Koji Nakata), Hidetoshi Nakata e Nakamura; Maki (Takahara depois Oguro) e Tamada.
Técnico: Arthur Antunes Coimbra (Zico)

Data: 22 de junho de 2006
Local: Fifa World Cup Stadium (Dortmund)
Gols: Tamada, aos 34, e Ronaldo, aos 46 minutos do primeiro tempo; Juninho Pernambucano, aos 8, Gilberto, aos 14, e Ronaldo, aos 36 minutos do segundo tempo
Arbitragem: Eric Poulat (França), auxiliado por Lionel Dagorne (França) e Vincent Texier (França)
Público: 65.000

Oitavas de final

BRASIL 3 X 0 GANA

BRASIL
Dida; Cafu, Lúcio, Juan e Roberto Carlos; Émerson (Gilberto Silva), Zé Roberto, Kaká (Ricardinho) e Ronaldinho Gaúcho; Adriano (Juninho Pernambucano) e Ronaldo.
Técnico: Carlos Alberto Parreira

GANA
Kingson; Pantsil, Mensah, Pappoe e Shilla; Eric Addo (Boateng), Muntari, Appiah e Draman; Amoah (Alex Tachie-Mensah) e Asamoah Gyan.
Técnico: Ratomir Dujkovic

Data: 27 de junho de 2006
Local: Fifa World Cup Stadium (Dortmund)
Gols: Ronaldo, aos 5, e Adriano, aos 46 minutos do primeiro tempo; Zé Roberto, aos 39 minutos do segundo tempo
Arbitragem: Lubos Michel (Eslováquia), auxiliado por Roman Slysko (Eslováquia) e Martin Balko (Eslováquia)
Cartão vermelho: Asamoah Gyan (Gana)
Cartões amarelos: Adriano e Juan (Brasil); Appiah, Muntari, Pantsil e Addo (Gana)
Público: 65.000

Quartas de final

BRASIL 0 X 1 FRANÇA

BRASIL
Dida; Cafu (Cicinho), Lúcio, Juan e Roberto Carlos; Gilberto Silva, Zé Roberto, Juninho Pernambucano (Adriano) e Kaká (Robinho); Ronaldinho Gaúcho e Ronaldo.
Técnico: Carlos Alberto Parreira.

FRANÇA
Barthez; Sagnol, Thuram, Gallas e Abidal; Makelele, Vieira, Malouda (Wiltord) e Zidane; Ribéry (Govu) e Thierry Henry (Saha).
Técnico: Raymond Domenech

Data: 1º de julho de 2006
Local: Fifa World Stadium Frankfurt (Frankfurt)
Gol: Thierry Henry, aos 12 minutos do segundo tempo
Arbitragem: Luis Medina Cantalejo (Espanha), auxiliado por Victoriano Giraldez Carrasco (Espanha) e Pedro Medina Hernandez (Espanha)
Cartões amarelos: Cafu, Juan, Lúcio e Ronaldo (Brasil); Sagnol, Saha e Thuram (França)
Público: 48.000

Todos os convocados

Nº	Jogador	Posição	Clube	Jogos	Minutos	Gols	A	V
1	Dida	goleiro	Milan (ITA)	5	442	(2)	0	0
2	Cafu	lateral	Milan (ITA)	4	346	0	2	0
3	Lúcio	zagueiro	Bayern Munique (ALE)	5	450	0	1	0
4	Juan	zagueiro	Bayer Leverkusen (ALE)	5	450	0	2	0
5	Emerson	volante	Juventus (ITA)	3	207	0	1	0
6	Roberto Carlos	lateral	Real Madrid (ESP)	4	360	0	0	0
7	Adriano	atacante	Internazionale (ITA)	4	266	2	1	0
8	Kaká	armador	Milan (ITA)	5	413	1	0	0
9	Ronaldo	atacante	Real Madrid (ESP)	5	411	3	2	0
10	Ronaldinho Gaúcho		Barcelona (ESP)	5	431	0	0	0
11	Zé Roberto	volante	Bayern Munique (ALE)	5	379	1	0	0
12	Rogério Ceni	goleiro	São Paulo	1	8	0	0	0
13	Cicinho	lateral	Real Madrid (ESP)	2	104	0	0	0
14	Luisão	zagueiro	Benfica (POR)	0	0	0	0	0
15	Cris	zagueiro	Lyon (FRA)	0	0	0	0	0
16	Gilberto	lateral	Hertha Berlim (ALE)	1	90	1	1	0
17	Gilberto Silva	volante	Arsenal (ING)	4	243	0	0	0
18	Mineiro	volante	São Paulo	0	0	0	0	0
19	Juninho Pernambucano	armador	Lyon (FRA)	3	182	1	0	0
20	Ricardinho	armador	Corinthians	2	26	0	0	0
21	Fred	atacante	Lyon (FRA)	1	2	1	0	0
22	Júlio César	goleiro	Internazionale (ITA)	0	0	0	0	0
23	Robinho	atacante	Real Madrid (ESP)	3	140	0	1	0

Curiosidades

Recordista 1
Ronaldo chegou à Alemanha com os mesmos 12 gols de Pelé, até então o maior artilheiro da Seleção Brasileira em Mundiais. E bem próximo dos dois recordistas gerais, o francês Fontaine (13) e o alemão Gerd Muller (14). Na última rodada da primeira fase, na goleada de 4 a 1 sobre o Japão, ele marcou duas vezes, ultrapassou Pelé e se igualou a Gerd Muller. Logo aos 5 minutos do jogo contra Gana, ele se tornou o maior goleador geral da história das Copas, com 15 gols.

Recordista 2
Com 16 jogos em Mundiais, apenas dois a menos que Taffarel e Dunga, que eram os recordistas de participações com a camisa da Seleção Brasileira na competição, o lateral direito Cafu empatou com a dupla na segunda rodada da primeira fase, quando o Brasil fez 2 a 0 na Austrália. Poupado por Carlos Alberto Parreira na goleada sobre o Japão, o jogador alcançou sua 19ª partida em Copas nas oitavas de final, contra Gana. Diante da França, ele ampliou o seu recorde para 20 jogos.

Quadra
A Seleção Brasileira chegou à Alemanha com o desafio de se tornar a primeira equipe a participar de quatro finais seguidas de Copa do Mundo. Os primeiros a alcançar a marca de três finais seguintes haviam sido os alemães, vice em 1982 (Espanha) e 1986 (México) e campeões em 1990 (Itália). O Brasil vinha do tetra em 1994, nos Estados Unidos, do vice-campeonato de 1998, na França, e do penta em 2002, na Coreia do Sul e Japão. O time de Parreira não conseguiu a quarta final seguida.

Fair play
Dos prêmios distribuídos pela Fifa na Copa do Mundo, o Brasil faturou apenas o troféu Fair Play, ao lado da Espanha, como equipes mais disciplinadas da Copa. Apesar de todos os problemas com o peso, Ronaldo ainda ficou com a chuteira de bronze, na eleição dos melhores jogadores da competição.

Jogadores

ABEL (1978)

Nome: Abel Carlos da Silva Braga
Nascimento: 1 de setembro de 1952
Local: Rio de Janeiro

História na Seleção
Nunca jogou

ACÁCIO (1990)

Nome: Acácio Cordeiro Barreto
Nascimento: 20 de janeiro de 1959
Local: Campos (RJ)

História na Seleção
Nunca jogou

ADÃOZINHO (1950)

Nome: Adão Nunes Dornelles
Nascimento: 2 de abril de 1923
Local: Porto Alegre (RS)

História na Seleção
Nunca jogou

ADEMIR DA GUIA (1974)

Nome: Ademir da Guia
Nascimento: 4 de março de 1942
Local: Rio de Janeiro (RJ)

Histórico na Copa

Nº	Data	Placar	Adversário	Local	Fase	M	G	T/R
1	6/7/1974	0 x 1	Polônia	Munique	Disputa 3º lugar	60	0	T

total **60** minutos e **0** Gol
Vitória: 0 :: **Empate:** 0 :: **Derrota:** 1

T/R – **T** – Começou a partida como titular. **R** – Começou a partida na reserva e entrou no decorrer da partida.
M – Minutos. **G** – Gols.

ADEMIR MENEZES (1950)

Nome: Ademir Marques de Menezes
Nascimento: 8 de novembro de 1922
Local: Recife (PE)

Histórico na Copa

N°	Data	Placar	Adversário	Local	Fase	M	G	T/R
1	24/6/1950	4 x 0	México	Maracanã	Primeira	90	2	T
2	28/6/1950	2 x 2	Suíça	Pacaembu	Primeira	90	0	T
3	1/7/1950	2 x 0	Iugoslávia	Maracanã	Primeira	90	1	T
4	9/7/1950	7 x 1	Suécia	Maracanã	Final	90	4	T
5	13/7/1950	6 x 1	Espanha	Maracanã	Final	90	2	T
6	16/7/1950	1 x 2	Uruguai	Maracanã	Final	90	0	T

total **540** minutos e **9** Gols
Vitórias: 4 :: **Empate:** 1 :: **Derrota:** 1

ADO (1970)

Nome: Eduardo Roberto Stinghen
Nascimento: 4 de julho de 1944
Local: Jaraguá do Sul (SC)

História na Seleção
Nunca jogou

ADRIANO (2006)

Nome: Adriano Leite Ribeiro
Nascimento: 17 de fevereiro de 1982
Local: Rio de Janeiro (RJ)

Histórico na Copa

N°	Data	Placar	Adversário	Local	Fase	M	G	T/R
1	13/6/2006	1 x 0	Croácia	Berlim	Primeira	90	0	T
2	18/6/2006	2 x 0	Austrália	Munique	Primeira	88	1	T
3	27/6/2006	3 x 0	Gana	Dortmund	Oitavas	61	1	T
4	1/7/2006	0 x 1	França	Frankfurt	Quartas	27	0	R

total **266** minutos e **2** Gols
Vitórias: 3 :: **Empate:** 0 :: **Derrota:** 1

AFONSINHO (1938)

Nome: Affonso Guimarães da Silva
Nascimento: 8 de março de 1914
Local: Rio de Janeiro (RJ)

Histórico na Copa

Nº	Data	Placar	Adversário	Local	Fase	M	G	T/R
1	5/6/1938	6 x 5	Polônia	Estrasburgo	Primeira	120	0	T
2	12/6/1938	1 x 1	Tchecoslováquia	Bordeaux	Quartas	120	0	T
3	16/6/1938	1 x 2	Itália	Marselha	Semifinal	90	0	T
4	19/6/1938	4 x 2	Suécia	Marselha	Disputa 3º lugar	90	0	T

total **420** minutos e **0** Gol
Vitórias: 2 :: **Empate:** 1 :: **Derrota:** 1

ALCINDO (1966)

Nome: Alcindo Martha de Freitas
Nascimento: 31 de março de 1945
Local: Sapucaia do Sul (RS)

Histórico na Copa

Nº	Data	Placar	Adversário	Local	Fase	M	G	T/R
1	12/7/1966	2 x 0	Bulgária	Liverpool	Primeira	90	0	T
2	15/7/1966	1 x 3	Hungria	Liverpool	Primeira	90	0	T

total **180** minutos e **0** Gol
Vitória: 1 :: **Empate:** 0 :: **Derrota:** 1

ALDAIR (1990/1994/1998)

Nome: Aldair Nascimento dos Santos
Nascimento: 30 de novembro de 1965
Local: Ilhéus (BA)

Histórico nas Copas

Nº	Data	Placar	Adversário	Local	Fase	M	G	T/R
1	20/6/1994	2 x 0	Rússia	San Francisco	Primeira	21	0	R
2	24/6/1994	3 x 0	Camarões	San Francisco	Primeira	90	0	T

3	28/6/1994	1 x 1	Suécia	Detroit	Primeira	90	0	T
4	4/7/1994	1 x 0	Estados Unidos	San Francisco	Oitavas	90	0	T
5	9/7/1994	3 x 2	Holanda	Dallas	Quartas	90	0	T
6	13/7/1994	1 x 0	Suécia	Los Angeles	Semifinal	90	0	T
7	17/7/1994	0 x 0	Itália	Los Angeles	Final	120	0	T

Nos pênaltis: Brasil 3 x 2

8	10/6/1998	2 x 1	Escócia	Saint-Denis	Primeira	90	0	T
9	16/6/1998	3 x 0	Marrocos	Nantes	Primeira	90	0	T
10	27/6/1998	4 x 1	Chile	Paris	Oitavas	77	0	T
11	3/7/1998	3 x 2	Dinamarca	Nantes	Quartas	90	0	T
12	7/7/1998	1 x 1	Holanda	Marselha	Semifinal	120	0	T

Nos pênaltis: Brasil 4 x 2

| 13 | 12/7/1998 | 0 x 3 | França | Saint-Denis | Final | 90 | 0 | T |

total **1.148** minutos e **0** Gol
Vitórias: 9 :: **Empate:** 3 :: **Derrota:** 1

ALEMÃO (1986/1990)

Nome: Ricardo Rogério de Brito
Nascimento: 22 de novembro de 1961
Local: Lavras (MG)

Histórico nas Copas

Nº	Data	Placar	Adversário	Local	Fase	M	G	T/R
1	1/6/1986	1 x 0	Espanha	Guadalajara	Primeira	90	0	T
2	6/6/1986	1 x 0	Argélia	Guadalajara	Primeira	90	0	T
3	12/6/1986	3 x 0	Irlanda do Norte	Guadalajara	Primeira	90	0	T
4	16/6/1986	4 x 0	Polônia	Guadalajara	Oitavas	90	0	T
5	21/6/1986	1 x 1	França	Guadalajara	Quartas	120	0	T

Nos pênaltis: França 4 x 3

6	10/6/1990	2 x 1	Suécia	Turim	Primeira	90	0	T
7	16/6/1990	1 x 0	Costa Rica	Turim	Primeira	90	0	T
8	20/6/1990	1 x 0	Escócia	Turim	Primeira	90	0	T
9	24/6/1990	0 x 1	Argentina	Turim	Oitavas	84	0	T

total **834** minutos e **0** Gol
Vitórias: 7 :: **Empate:** 1 :: **Derrota:** 1

ALFREDO MOSTARDA (1974)

Nome: Alfredo Mostarda Filho
Nascimento: 18 de outubro de 1946
Local: São Paulo (SP)

Histórico na Copa

Nº	Data	Placar	Adversário	Local	Fase	M	G	T/R
1	6/7/1974	0 x 1	Polônia	Munique	Disputa 3º lugar	90	0	T

total **90** minutos e **0** Gol
Vitória: 0 :: **Empate:** 0 :: **Derrota:** 1

ALFREDO (1950)

Nome: Alfredo dos Santos
Nascimento: 1º de janeiro de 1920
Local: Rio de Janeiro (RJ)

Histórico na Copa

Nº	Data	Placar	Adversário	Local	Fase	M	G	T/R
1	28/6/1950	2 x 2	Suíça	Pacaembu	Primeira	90	1	T

total **90** minutos e **1** Gol
Vitória: 0 :: **Empate:** 1 :: **Derrota:** 0

ALFREDO RAMOS (1954)

Nome: Alfredo Ramos Castilho
Nascimento: 27 de outubro de 1924
Local: Jacareí (SP)

Histórico na Copa
Nunca jogou

ALTAIR (1962/1966)

Nome: Altair Gomes de Figueiredo
Nascimento: 22 de janeiro de 1938
Local: Niterói (RJ)

Histórico na Copa

Nº	Data	Placar	Adversário	Local	Fase	M	G	T/R
1	12/7/1966	2 x 0	Bulgária	Liverpool	Primeira	90	0	T
2	15/7/1966	1 x 3	Hungria	Liverpool	Primeira	90	0	T

total **180** minutos e **0** Gol
Vitória: 1 :: **Empate:** 0 :: **Derrota:** 1

AMARAL (1978)

Nome: João Justino Amaral dos Santos
Nascimento: 21 de dezembro de 1954
Local: Campinas (SP)

Histórico na Copa

Nº	Data	Placar	Adversário	Local	Fase	M	G	T/R
1	3/6/1978	1 x 1	Suécia	Mar del Plata	Primeira	90	0	T
2	7/6/1978	0 x 0	Espanha	Mar del Plata	Primeira	90	0	T
3	11/6/1978	1 x 0	Áustria	Mar del Plata	Primeira	90	0	T
4	14/6/1978	3 x 0	Peru	Mendoza	Semifinal	90	0	T
5	18/6/1978	0 x 0	Argentina	Rosário	Semifinal	90	0	T
6	21/6/1978	3 x 1	Polônia	Mendoza	Semifinal	90	0	T
7	24/6/1978	2 x 1	Itália	Buenos Aires	Disputa 3º lugar	90	0	T

total **630** minutos e **0** Gol
Vitórias: 4 :: **Empate:** 3 :: **Derrota:** 0

AMARILDO (1962)

Nome: Amarildo Tavares da Silveira
Nascimento: 29 de julho de 1940
Local: Campos (RJ)

Histórico na Copa

Nº	Data	Placar	Adversário	Local	Fase	M	G	T/R
1	6/6/1962	2 x 1	Espanha	Viña del Mar	Primeira	90	2	T
2	10/6/1992	3 x 1	Inglaterra	Viña del Mar	Quartas	90	0	T
3	13/6/1962	4 x 2	Chile	Santiago	Semifinal	90	0	T
4	17/6/1962	3 x 1	Tchecoslováquia	Santiago	Final	90	1	T

total **360** minutos e **3** Gols
Vitórias: 4 :: **Empate:** 0 :: **Derrota:** 0

ANDERSON POLGA (2002)

Nome: Anderson Corrêa Polga
Nascimento: 9 de fevereiro de 1979
Local: Santiago (RS)

Histórico na Copa

Nº	Data	Placar	Adversário	Local	Fase	M	G	T/R
1	8/6/2002	4 x 0	China	Seogwipo	Primeira	90	0	T
2	13/6/2002	5 x 2	Costa Rica	Suwon	Primeira	90	0	T

total **180** minutos e **0** Gol
Vitórias: 2 :: **Empate:** 0 :: **Derrota:** 0

ANDRÉ CRUZ (1998)

Nome: André Alves Cruz
Nascimento: 20 de setembro de 1968
Local: Piracicaba (SP)

Histórico na Copa
Nunca jogou

ARAKEN (1930)

Nome: Araken Patusca
Nascimento: 17 de julho de 1906
Local: Santos (SP)

Histórico na Copa

Nº	Data	Placar	Adversário	Local	Fase	M	G	T/R
1	14/7/1930	1 x 2	Iugoslávia	Montevidéu	Primeira	90	0	T

total **90** minutos e **0** Gol
Vitória: 0 :: **Empate:** 0 :: **Derrota:** 1

ARGEMIRO (1938)

Nome: Argemiro Pinheiro da Silva
Nascimento: 3 de junho de 1916
Local: Ribeirão Preto (SP)

Histórico na Copa

Nº	Data	Placar	Adversário	Local	Fase	M	G	T/R
1	14/6/1938	2 x 1	Tchecoslováquia	Bordeaux	Quartas	90	0	T

total **90** minutos e **0** Gol
Vitória: 1 :: **Empate:** 0 :: **Derrota:** 0

ARIEL (1934)

Nome: Ariel Augusto Nogueira
Nascimento: 22 de fevereiro de 19108
Local: Petrópolis (RJ)

Histórico na Copa
Nunca jogou

ARMANDINHO (1934)

Nome: Armando dos Santos
Nascimento: 3 de junho de 1911
Local: Rio de Janeiro (RJ)

Histórico na Copa

Nº	Data	Placar	Adversário	Local	Fase	M	G	T/R
1	27/5/1934	1 x 3	Espanha	Gênova	Primeira	90	0	T

total **90** minutos e **0** Gol
Vitória: 0 :: **Empate:** 0 :: **Derrota:** 1

ÁTTILA (1934)

Nome: Áttila de Carvalho
Nascimento: 16 de dezembro de 1910
Local: Rio de Janeiro (RJ)

Histórico na Copa
Nunca jogou

AUGUSTO (1950)

Nome: Augusto da Costa
Nascimento: 22 de outubro de 1920
Local: Rio de Janeiro (RJ)

Histórico na Copa

Nº	Data	Placar	Adversário	Local	Fase	M	G	T/R
1	24/6/1950	4 x 0	México	Maracanã	Primeira	90	0	T
2	28/6/1950	2 x 2	Suíça	Pacaembu	Primeira	90	0	T
3	1/7/1950	2 x 0	Iugoslávia	Maracanã	Primeira	90	0	T
4	9/7/1950	7 x 1	Suécia	Maracanã	Final	90	0	T
5	13/7/1950	6 x 1	Espanha	Maracanã	Final	90	0	T
6	16/7/1950	1 x 2	Uruguai	Maracanã	Final	90	0	T

total **540** minutos e **0** Gol
Vitórias: 4 :: **Empate:** 1 :: **Derrota:** 1

BALDOCCHI (1970)

Nome: José Guilherme Baldocchi
Nascimento: 14 de março de 1946
Local: Batatais (SP)

Histórico na Copa
Nunca jogou

BALTAZAR (1950/1954)

Nome: Oswaldo da Silva
Nascimento: 14 de janeiro de 1926
Local: Santos (SP)

Histórico nas Copas

Nº	Data	Placar	Adversário	Local	Fase	M	G	T/R
1	24/6/1950	4 x 0	México	Maracanã	Primeira	90	1	T
2	28/6/1950	2 x 2	Suíça	Pacaembu	Primeira	90	1	T
3	16/6/1954	5 x 0	México	Genebra	Primeira	90	1	T
4	19/6/1954	1 x 1	Iugoslávia	Lausanne	Primeira	90	0	T

total **360** minutos e **3** Gols
Vitórias: 3 :: **Empate:** 1 :: **Derrota:** 0

BARBOSA (1950)

Nome: Moacyr Nascimento Barbosa
Nascimento: 27 de março de 1921
Local: Campinas (SP)

Histórico na Copa

Nº	Data	Placar	Adversário	Local	Fase	M	G	T/R
1	24/6/1950	4 x 0	México	Maracanã	Primeira	90	(2)	T
2	28/6/1950	2 x 2	Suíça	Pacaembu	Primeira	90	0	T
3	1/7/1950	2 x 0	Iugoslávia	Maracanã	Primeira	90	0	T
4	9/7/1950	7 x 1	Suécia	Maracanã	Final	90	(1)	T
5	13/7/1950	6 x 1	Espanha	Maracanã	Final	90	(2)	T
6	16/7/1950	1 x 2	Uruguai	Maracanã	Final	90	0	T

total **540** minutos e **(6)** Gols
Vitórias: 4 :: **Empate:** 1 :: **Derrota:** 1

BATATAIS (1938)

Nome: Algisto Lorenzatto
Nascimento: 20 de maio de 1910
Local: Batatais (SP)

Histórico na Copa

Nº	Data	Placar	Adversário	Local	Fase	M	G	T/R
1	5/6/1938	6 x 5	Polônia	Estrasburgo	Primeira	120	(5)	T
2	19/6/1938	4 x 2	Suécia	Bordeaux	Disputa 3º lugar	90	(2)	T

total **210** minutos e **(7)** Gols
Vitórias: 2 :: **Empate:** 0 :: **Derrota:** 0

BATISTA (1978/1982)

Nome: João Batista da Silva
Nascimento: 8 de março de 1955
Local: Porto Alegre (RS)

Histórico na Copa

Nº	Data	Placar	Adversário	Local	Fase	M	G	T/R
1	3/6/1978	1 x 1	Suécia	Mar del Plata	Primeira	90	0	T
2	7/6/1978	0 x 0	Espanha	Mar del Plata	Primeira	90	0	T
3	11/6/1978	1 x 0	Áustria	Mar del Plata	Primeira	90	0	T
4	14/6/1978	3 x 0	Peru	Mendoza	Semifinal	90	0	T
5	18/6/1978	0 x 0	Argentina	Rosário	Semifinal	90	0	T
6	21/6/1978	3 x 1	Polônia	Mendoza	Semifinal	90	0	T
7	24/6/1978	2 x 1	Itália	Buenos Aires	Disputa 3º lugar	90	0	T
8	2/7/1982	3 x 1	Argentina	Barcelona	Quartas	7	0	T

total **637** minutos e **0** Gol
Vitórias: 5 :: **Empates:** 2 :: **Derrota:** 1

BAUER (1950/1954)

Nome: José Carlos Bauer
Nascimento: 21 de novembro de 1925
Local: São Paulo (SP)

Histórico nas Copas

Nº	Data	Placar	Adversário	Local	Fase	M	G	T/R
1	28/6/1950	2 x 2	Suíça	Pacaembu	Primeira	90	0	T
2	1/7/1950	2 x 0	Iugoslávia	Maracanã	Primeira	90	0	T
3	9/7/1950	7 x 1	Suécia	Maracanã	Final	90	0	T
4	13/7/1950	6 x 1	Espanha	Maracanã	Final	90	0	T
5	16/7/1950	1 x 2	Uruguai	Maracanã	Final	90	0	T
6	16/6/1954	5 x 0	México	Gênova	Primeira	90	0	T
7	19/6/1954	1 x 1	Iugoslávia	Lausanne	Primeira	120	0	T
8	27/6/1954	2 x 4	Hungria	Berna	Quartas	90	0	T

total **750** minutos e **0** Gol
Vitórias: 4 :: **Empates:** 2 :: **Derrotas:** 2

BELLETTI (2002)

Nome: Juliano Haus Belletti
Nascimento: 20 de junho de 1976
Local: Cascavel (PR)

Histórico na Copa

Nº	Data	Placar	Adversário	Local	Fase	M	G	T/R
1	26/6/2002	1 x 0	Turquia	Saitama	Semifinal	5	0	R

total **5** minutos e **0** Gol
Vitória: 1 :: **Empate:** 0 :: **Derrota:** 0

BEBETO (1990/1994/1998)

Nome: José Roberto Gama de Oliveira
Nascimento: 16 de fevereiro de 1964
Local: Salvador (BA)

Histórico nas Copas

Nº	Data	Placar	Adversário	Local	Fase	M	G	T/R
1	16/6/1990	1 x 0	Costa Rica	Turim	Primeira	7	0	R
2	20/6/1994	2 x 0	Rússia	San Francisco	Primeira	90	0	T
3	24/6/1994	3 x 0	Camarões	San Francisco	Primeira	90	1	T
4	28/6/1994	1 x 1	Suécia	Detroit	Primeira	90	0	T
5	4/7/1994	1 x 0	Estados Unidos	San Francisco	Oitavas	90	1	T
6	9/7/1994	3 x 2	Holanda	Dallas	Quartas	90	1	T
7	13/7/1994	1 x 0	Suécia	Los Angeles	Semifinal	90	0	T
8	17/7/1994	0 x 0	Itália	Los Angeles	Final	120	0	T

Nos pênaltis: Brasil 3 x 2

9	10/6/1998	2 x 1	Escócia	Saint-Denis	Primeira	70	0	T
10	16/6/1998	3 x 0	Marrocos	Nantes	Primeira	72	1	T
11	23/6/1998	1 x 2	Noruega	Marselha	Primeira	90	1	T
12	27/6/1998	4 x 1	Chile	Paris	Oitavas	65	0	T
13	3/7/1998	3 x 2	Dinamarca	Nantes	Quartas	64	1	T
14	7/7/1998	1 x 1	Holanda	Marselha	Semifinal	70	0	T
15	12/7/1998	0 x 3	França	Saint-Denis	Final	90	0	T

total **1.188** minutos e **6** Gols
Vitórias: 10 :: **Empates:** 3 :: **Derrotas:** 2

BELLINI (1958/1962/1966)

Nome: Hideraldo Luiz Bellini
Nascimento: 21 de junho de 1930
Local: Cascavel (PR)

Histórico nas Copas

Nº	Data	Placar	Adversário	Local	Fase	M	G	T/R
1	8/6/1958	3 x 0	Áustria	Udevalla	Primeira	90	0	T
2	11/6/1958	0 x 0	Inglaterra	Gotemburgo	Primeira	90	0	T
3	15/6/1958	2 x 0	União Soviética	Gotemburgo	Primeira	90	0	T
4	19/6/1958	1 x 0	País de Gales	Gotemburgo	Quartas	90	0	T
5	24/6/1958	5 x 2	França	Estocolmo	Semifinal	90	0	T
6	29/6/1958	5 x 2	Suécia	Estocolmo	Final	90	0	T
7	12/7/1966	2 x 0	Bulgária	Liverpool	Primeira	90	0	T
8	15/7/1966	1 x 3	Hungria	Liverpool	Primeira	90	0	T

total **720** minutos e **0** Gol
Vitórias: 6 :: **Empates:** 3 :: **Derrota:** 1

BENEDICTO (1930)

Nome: Benedicto de Moraes Menezes
Nascimento: 10 de fevereiro de 1910
Local: Pelotas (RS)

Histórico na Copa

Nº	Data	Placar	Adversário	Local	Fase	M	G	T/R
1	20/7/1930	4 x 0	Bolívia	Montevidéu	Primeira	90	0	T

total **90** minutos e **0** Gol
Vitória: 1 :: **Empate:** 0 :: **Derrota:** 0

BENEVENUTO (1930)

Nome: Humberto de Araújo Benevenuto
Nascimento: 4 de agosto de 1903
Local: Rio de Janeiro (RJ)

Histórico na Copa
Nunca jogou

BIGODE (1950)

Nome: João Ferreira
Nascimento: 4 de abril de 1922
Local: Belo Horizonte (MG)

Histórico na Copa

Nº	Data	Placar	Adversário	Local	Fase	M	G	T/R
1	24/6/1950	4 x 0	México	Maracanã	Primeira	90	0	T
2	1/7/1950	2 x 0	Iugoslávia	Maracanã	Primeira	90	0	T
3	9/7/1950	7 x 1	Suécia	Maracanã	Final	90	0	T
4	13/7/1950	6 x 1	Espanha	Maracanã	Final	90	0	T
5	16/7/1950	1 x 2	Uruguai	Maracanã	Final	90	0	T

total **450** minutos e **0** Gol
Vitórias: 4 :: **Empate:** 0 :: **Derrota:** 1

BISMARCK (1990)

Nome: Bismarck Barreto Faria
Nascimento: 11 de setembro de 1969
Local: Niterói (RJ)

Histórico na Copa
Nunca jogou

BRANCO (1986/1990/1994)

Nome: Cláudio Ibrahim Vaz Leal
Nascimento: 4 de abril de 1964
Local: Bagé (RS)

Histórico na Copa

Nº	Data	Placar	Adversário	Local	Fase	M	G	T/R
1	1/6/1986	1 x 0	Espanha	Guadalajara	Primeira	90	0	T
2	6/6/1986	1 x 0	Argélia	Guadalajara	Primeira	90	0	T
3	12/6/1986	3 x 0	Irlanda do Norte	Guadalajara	Primeira	90	0	T
4	16/6/1986	4 x 0	Polônia	Guadalajara	Oitavas	90	0	T
5	21/6/1986	1 x 1	França	Guadalajara	Quartas	120	0	T

Nos pênaltis: França 4 x 3

6	10/6/1990	2 x 1	Suécia	Turim	Primeira	90	0	T
7	16/6/1990	1 x 0	Costa Rica	Turim	Primeira	90	0	T
8	20/6/1990	1 x 0	Escócia	Turim	Primeira	90	0	T
9	24/6/1990	0 x 1	Argentina	Turim	Oitavas	90	0	T
10	9/7/1994	3 x 2	Holanda	Dallas	Quartas	90	1	T
11	13/7/1994	1 x 0	Suécia	Los Angeles	Semifinal	90	0	T
12	17/7/1994	0 x 0	Itália	Los Angeles	Final	120	0	T

Nos pênaltis: Brasil 3 x 2

total **1.140** minutos e **1** Gol
Vitórias: 9 :: **Empates:** 2 :: **Derrota:** 1

BRANDÃO (1938)

Nome: : José Augusto Brandão
Nascimento: 21 de abril de 1911
Local: Taubaté (SP)

Histórico na Copa

Nº	Data	Placar	Adversário	Local	Fase	M	G	T/R
1	14/6/1938	2 x 1	Tchecoslováquia	Bordeaux	Quartas	90	0	T
2	19/6/1938	4 x 2	Suécia	Bordeaux	Decisão 3º lugar	90	0	T

total **180** minutos e **0** Gol
Vitórias: 2 :: **Empate:** 0 :: **Derrota:** 0

BRANDÃOZINHO (1954)

Nome: Antenor Lucas
Nascimento: 9 de junho de 1925
Local: Campinas (SP)

Histórico na Copa

Nº	Data	Placar	Adversário	Local	Fase	M	G	T/R
1	16/6/1954	5 x 0	México	Genebra	Primeira	90	0	T
2	19/6/1954	1 x 1	Iugoslávia	Lausanne	Primeira	120	0	T
3	27/6/1954	2 x 4	Hungria	Berna	Quartas	90	0	T

total **300** minutos e **0** Gol
Vitórias: 2 :: **Empate:** 0 :: **Derrota:** 1

BRILHANTE (1930)

Nome: Alfredo Brilhante da Costa
Nascimento: 5 de novembro de 1904
Local: Rio de Janeiro (RJ)

Histórico na Copa

Nº	Data	Placar	Adversário	Local	Fase	M	G	T/R
1	14/7/1930	1 x 2	Iugoslávia	Montevidéu	Primeira	90	0	T

total **90** minutos e **0** Gol
Vitória: 0 :: **Empate:** 0 :: **Derrota:** 1

BRITO (1966/1970)

Nome: Hércules Brito Ruas
Nascimento: 9 de agosto de 1939
Local: Rio de Janeiro (RJ)

Histórico nas Copas

Nº	Data	Placar	Adversário	Local	Fase	M	G	T/R
1	19/7/1966	1 x 3	Portugal	Liverpool	Primeira	90	0	T
2	3/6/1970	4 x 1	Tchecoslováquia	Guadalajara	Primeira	90	0	T
3	7/6/1970	1 x 0	Inglaterra	Guadalajara	Primeira	90	0	T
4	10/6/1970	3 x 2	Romênia	Guadalajara	Primeira	90	0	T
5	14/6/1970	4 x 2	Peru	Guadalajara	Quartas	90	0	T
6	17/6/1970	3 x 1	Uruguai	Guadalajara	Semifinal	90	0	T
7	21/6/1970	4 x 1	Itália	Cidade do México	Final	90	0	T

total **630** minutos e **0** Gol
Vitórias: 6 :: **Empate:** 0 :: **Derrota:** 1

BRITTO (1938)

Nome: Hermínio Américo de Britto
Nascimento: 6 de maio de 1914
Local: São Paulo (SP)

Histórico na Copa

Nº	Data	Placar	Adversário	Local	Fase	M	G	T/R
1	14/6/1938	2 x 1	Tchecoslováquia	Bordeaux	Quartas	90	0	T

total **90** minutos e **0** Gol
Vitória: 1 :: **Empate:** 0 :: **Derrota:** 0

CABEÇÃO (1954)

Nome: Luís Moraes
Nascimento: 23 de agosto de 1930
Local: São Paulo (SP)

Histórico na Copa
Nunca jogou

CAFU (1994/1998/2002/2006)

Nome: Marcos Evangelista de Moraes
Nascimento: 15 de setembro de 1970
Local: Santa Rita do Sapucaí (MG)

Histórico nas Copas

N°	Data	Placar	Adversário	Local	Fase	M	G	T/R
1	4/7/1994	1 x 0	Estados Unidos	San Francisco	Oitavas	21	0	R
2	9/7/1994	3 x 2	Holanda	Dallas	Quartas	1	0	R
3	17/7/1994	0 x 0	Itália	Los Angeles	Final	99	0	R

Nos pênaltis: Brasil 3 x 2

4	10/6/1998	2 x 1	Escócia	Saint-Denis	Primeira	90	0	T
5	16/6/1998	3 x 0	Marrocos	Nantes	Primeira	90	0	T
6	23/6/1998	1 x 2	Noruega	Marselha	Primeira	90	0	T
7	27/6/1998	4 x 1	Chile	Paris	Oitavas	90	0	T
8	3/7/1998	3 x 2	Dinamarca	Nantes	Quartas	90	0	T
9	12/7/1998	0 x 3	França	Saint-Denis	Final	90	0	T
10	3/6/2002	2 x 1	Turquia	Ulsan	Primeira	90	0	T
11	8/6/2002	4 x 0	China	Seogwipo	Primeira	90	0	T
12	13/6/2002	5 x 2	Costa Rica	Suwon	Primeira	90	0	T
13	17/6/2002	2 x 0	Bélgica	Kobe	Oitavas	90	0	T
14	21/6/2002	2 x 1	Inglaterra	Shizuoka	Quartas	90	0	T
15	26/6/2002	1 x 0	Turquia	Saitama	Semifinal	90	0	T
16	30/6/2002	2 x 0	Alemanha	Yokohama	Final	90	0	T
17	13/6/2006	1 x 0	Croácia	Berlim	Primeira	90	0	T
18	18/6/2006	2 x 0	Austrália	Munique	Primeira	90	0	T
19	27/6/2006	3 x 0	Gana	Dortmund	Oitavas	90	0	T
20	1/7/2006	0 x 1	França	Frankfurt	Quartas	76	0	T

total **1.637** minutos e **0** Gol
Vitórias: 16 :: **Empate:** 1 :: **Derrotas:** 3

CANALLI (1934)

Nome: Heitor Canalli
Nascimento: 31 de março de 1910
Local: Juiz de Fora (MG)

Histórico na Copa

Nº	Data	Placar	Adversário	Local	Fase	M	G	T/R
1	27/5/1934	1 x 3	Espanha	Gênova	Primeira	90	0	T

total **90** minutos e **0** Gol
Vitória: 0 :: **Empate:** 0 :: **Derrota:** 1

CARECA (1986/1990)

Nome: Antônio de Oliveira Filho
Nascimento: 5 de outubro de 1960
Local: Araraquara (SP)

Histórico nas Copas

Nº	Data	Placar	Adversário	Local	Fase	M	G	T/R
1	1/6/1986	1 x 0	Espanha	Guadalajara	Primeira	90	0	T
2	6/6/1986	1 x 0	Argélia	Guadalajara	Primeira	90	1	T
3	12/6/1986	3 x 0	Irlanda do Norte	Guadalajara	Primeira	90	2	T
4	16/6/1986	4 x 0	Polônia	Guadalajara	Oitavas	90	1	T
5	21/6/1986	1 x 1	França	Guadalajara	Quartas	120	1	T

Nos pênaltis: França 4 x 3

6	10/6/1990	2 x 1	Suécia	Turim	Primeira	90	2	T
7	16/6/1990	1 x 0	Costa Rica	Turim	Primeira	83	0	T
8	20/6/1990	1 x 0	Escócia	Turim	Primeira	90	0	T
9	24/6/1990	0 x 1	Argentina	Turim	Oitavas	90	0	T

total **833** minutos e **7** Gols
Vitórias: 7 :: **Empate:** 1 :: **Derrota:** 1

CARLOS (1978/1982/1986)

Nome: Carlos Roberto Gallo
Nascimento: 4 de março de 1956
Local: Vinhedo (SP)

Histórico na Copa

Nº	Data	Placar	Adversário	Local	Fase	M	G	T/R
1	1/6/1986	1 x 0	Espanha	Guadalajara	Primeira	90	(0)	T
2	6/6/1986	1 x 0	Argélia	Guadalajara	Primeira	90	(0)	T
3	12/6/1986	3 x 0	Irlanda do Norte	Guadalajara	Primeira	90	(0)	T
4	16/6/1986	4 x 0	Polônia	Guadalajara	Oitavas	90	(0)	T
5	21/6/1986	1 x 1	França	Guadalajara	Quartas	120	(1)	T

Nos pênaltis: França 4 x 3

total **480** minutos e **(1)** Gol
Vitórias: 4 :: **Empate:** 1 :: **Derrota:** 0

CARLOS ALBERTO TORRES (1970)

Nome: Carlos Alberto Torres
Nascimento: 6 de julho de 1945
Local: Rio de Janeiro (RJ)

Histórico na Copa

Nº	Data	Placar	Adversário	Local	Fase	M	G	T/R
1	3/6/1970	4 x 1	Tchecoslováquia	Guadalajara	Primeira	90	0	T
2	7/6/1970	1 x 0	Inglaterra	Guadalajara	Primeira	90	0	T
3	10/6/1970	3 x 2	Romênia	Guadalajara	Primeira	90	0	T
4	14/6/1970	4 x 2	Peru	Guadalajara	Quartas	90	0	T
5	17/6/1970	3 x 1	Uruguai	Guadalajara	Semifinal	90	0	T
6	21/6/1970	4 x 1	Itália	Cidade do México	Final	90	1	T

total **540** minutos e **1** Gol
Vitórias: 6 :: **Empate:** 0 :: **Derrota:** 0

CARLOS GERMANO (1998)

Nome: Carlos Germano Schwambach Neto
Nascimento: 14 de agosto de 1970
Local: Domingos Martins (ES)

Histórico na Copa
Nunca jogou

CARPEGIANI (1974)

Nome: Paulo César Carpegiani
Nascimento: 17 de fevereiro de 1949
Local: Erechim (RS)

Histórico na Copa

Nº	Data	Placar	Adversário	Local	Fase	M	G	T/R
1	18/6/1974	0 x 0	Escócia	Frankfurt	Primeira	25	0	R
2	22/6/1974	3 x 0	Zaire	Gelsenkirchen	Primeira	90	0	T
3	26/6/1974	1 x 0	Alemanha Or.	Hanover	Semifinal	90	0	T
4	30/6/1974	2 x 1	Argentina	Hanover	Semifinal	90	0	T
5	3/7/1974	0 x 2	Holanda	Dortmund	Semifinal	90	0	T
6	6/7/1974	0 x 1	Polônia	Munique	Disputa 3º lugar	90	0	T

total **475** minutos e **0** Gol
Vitórias: 3 :: **Empate:** 1 :: **Derrotas:** 2

CARVALHO LEITE (1930/1934)

Nome: Carlos Antônio Dobbert de Carvalho Leite
Nascimento: 26 de maio de 1912
Local: Niterói (RJ)

Histórico na Copa

Nº	Data	Placar	Adversário	Local	Fase	M	G	T/R
1	20/7/1930	4 x 0	Bolívia	Montevidéu	Primeira	90	0	T

total **90** minutos e **0** Gol
Vitória: 1 :: **Empate:** 0 :: **Derrota:** 0

CASAGRANDE (1986)

Nome: Wálter Casagrande Júnior
Nascimento: 15 de abril de 1963
Local: São Paulo (SP)

Histórico na Copa

Nº	Data	Placar	Adversário	Local	Fase	M	G	T/R
1	1/6/1986	1 x 0	Espanha	Guadalajara	Primeira	66	0	T
2	6/6/1986	1 x 0	Argélia	Guadalajara	Primeira	59	0	T
3	12/6/1986	3 x 0	Irlanda do Norte	Guadalajara	Primeira	64	0	R

total **189** minutos e **0** Gol
Vitórias: 3 :: **Empate:** 0 :: **Derrota:** 0

CASTILHO (1950/1954/1958/1962)

Nome: Carlos José Castilho
Nascimento: 27 de novembro de 1927
Local: Rio de Janeiro (RJ)

Histórico na Copa

Nº	Data	Placar	Adversário	Local	Fase	M	G	T/R
1	16/6/1954	5 x 0	México	Genebra	Primeira	90	(0)	T
2	19/6/1954	1 x 1	Iugoslávia	Lausanne	Primeira	90	(1)	T
3	27/6/1954	2 x 4	Hungria	Berna	Quartas	90	(4)	T

total **270** minutos e **(5)** Gols
Vitória: 1 :: **Empate:** 1 :: **Derrota:** 1

CÉSAR (1974)

Nome: César Augusto da Silva Lemos
Nascimento: 17 de maio de 1945
Local: Niterói (RJ)

Histórico na Copa
Nunca jogou

CÉSAR SAMPAIO (1998)

Nome: Carlos César Sampaio Campos
Nascimento: 31 de março de 1968
Local: São Paulo (SP)

Histórico na Copa

Nº	Data	Placar	Adversário	Local	Fase	M	G	T/R
1	10/6/1998	2 x 1	Escócia	Saint-Denis	Primeira	90	1	T
2	16/6/1998	3 x 0	Marrocos	Nantes	Primeira	68	0	T
3	27/6/1998	4 x 1	Chile	Paris	Oitavas	90	2	T
4	3/7/1998	3 x 2	Dinamarca	Nantes	Quartas	90	0	T
5	7/7/1998	1 x 1	Holanda	Marselha	Semifinal	120	0	T
6	12/7/1998	0 x 3	França	Saint-Denis	Final	75	0	T

total **533** minutos e **3** Gols
Vitórias: 4 :: **Empate:** 1 :: **Derrota:** 1

CHICÃO (1978)

Nome: Francisco Jesuíno Avanzi
Nascimento: 30 de janeiro de 1949
Local: Piracicaba (SP)

Histórico na Copa

Nº	Data	Placar	Adversário	Local	Fase	M	G	T/R
1	11/6/1978	1 x 0	Áustria	Mar del Plata	Primeira	19	0	R
2	14/6/1978	3 x 0	Peru	Mendoza	Semifinal	14	0	R
3	18/6/1978	0 x 0	Argentina	Rosário	Semifinal	90	0	T

total **123** minutos e **0** Gol
Vitórias: 2 :: **Empate:** 1 :: **Derrota:** 0

CHICO (1950)

Nome: Francisco Aramburu
Nascimento: 7 de janeiro de 1923
Local: Uruguaiana (RS)

Histórico na Copa

Nº	Data	Placar	Adversário	Local	Fase	M	G	T/R
1	1/7/1950	2 x 0	Iugoslávia	Maracanã	Primeira	90	0	T
2	9/7/1950	7 x 1	Suécia	Maracanã	Final	90	2	T
3	13/7/1950	6 x 1	Espanha	Maracanã	Final	90	2	T
4	16/7/1950	1 x 2	Uruguai	Maracanã	Final	90	0	T

total **360** minutos e **4** Gols
Vitórias: 3 :: **Empate:** 0 :: **Derrota:** 1

CICINHO (2006)

Nome: Cícero João de Cézare
Nascimento: 24 de junho de 1980
Local: Pradópolis (SP)

Histórico na Copa

Nº	Data	Placar	Adversário	Local	Fase	M	G	T/R
1	22/6/2006	4 x 1	Japão	Dortmund	Primeira	90	0	T
2	1/7/2006	0 x 1	França	Frankfurt	Quartas	14	0	T

total **104** minutos e **0** Gol
Vitória: 1 :: **Empate:** 0 :: **Derrota:** 1

CLODOALDO (1970)

Nome: Clodoaldo Tavares Santana
Nascimento: 26 de setembro de 1949
Local: Aracaju (SE)

Histórico na Copa

Nº	Data	Placar	Adversário	Local	Fase	M	G	T/R
1	3/6/1970	4 x 1	Tchecoslováquia	Guadalajara	Primeira	90	0	T
2	7/6/1970	1 x 0	Inglaterra	Guadalajara	Primeira	90	0	T
3	10/6/1970	3 x 2	Romênia	Guadalajara	Primeira	74	0	T
4	14/6/1970	4 x 2	Peru	Guadalajara	Quartas	90	0	T
5	17/6/1970	3 x 1	Uruguai	Guadalajara	Semifinal	90	1	T
6	21/6/1970	4 x 1	Itália	Cidade do México	Final	90	0	T

total **524** minutos e **1** Gol
Vitórias: 6 :: **Empate:** 0 :: **Derrota:** 0

COUTINHO (1962)

Nome: Antônio Wilson Honório
Nascimento: 11 de junho de 1943
Local: Piracicaba (SP)

Histórico na Copa
Nunca jogou

CRIS (2006)

Nome: Cristiano Marques Gomes
Nascimento: 3 de junho de 1977
Local: Guarulhos (SP)

Histórico na Copa
Nunca jogou

DANILO ALVIM (1950)

Nome: Danilo Faria Alvim
Nascimento: 13 de dezembro de 1920
Local: Rio de Janeiro (RJ)

Histórico na Copa

Nº	Data	Placar	Adversário	Local	Fase	M	G	T/R
1	24/6/1950	4 x 0	México	Maracanã	Primeira	90	0	T
2	1/7/1950	2 x 0	Iugoslávia	Maracanã	Primeira	90	0	T
3	9/7/1950	7 x 1	Suécia	Maracanã	Final	90	0	T
4	13/7/1950	6 x 1	Espanha	Maracanã	Final	90	0	T
5	16/7/1950	1 x 2	Uruguai	Maracanã	Final	90	0	T

total **450** minutos e **0** Gol
Vitórias: 4 :: **Empate:** 0 :: **Derrota:** 1

DARIO (1970)

Nome: Dario José dos Santos
Nascimento: 4 de março de 1946
Local: Rio de Janeiro (RJ)

Histórico na Copa
Nunca jogou

DE SORDI (1958)

Nome: Newton de Sordi
Nascimento: 14 de fevereiro de 1931
Local: Piracicaba (SP)

Histórico na Copa

Nº	Data	Placar	Adversário	Local	Fase	M	G	T/R
1	8/6/1958	3 x 0	Áustria	Udevalla	Primeira	90	0	T
2	11/6/1958	0 x 0	Inglaterra	Gotemburgo	Primeira	90	0	T
3	15/6/1958	2 x 0	União Soviética	Gotemburgo	Primeira	90	0	T
4	19/6/1958	1 x 0	País de Gales	Gotemburgo	Quartas	90	0	T
5	24/6/1958	5 x 2	Suécia	Estocolmo	Semifinal	90	0	T

total **450** minutos e **0** Gol
Vitórias: 4 :: **Empate:** 1 :: **Derrota:** 0

DENÍLSON (1966)

Nome: Denílson Custódio Machado
Nascimento: 28 de março de 1943
Local: Campos (RJ)

Histórico na Copa

Nº	Data	Placar	Adversário	Local	Fase	M	G	T/R
1	12/7/1966	2 x 0	Bulgária	Liverpool	Primeira	90	0	T
2	19/7/1966	1 x 3	Portugal	Liverpool	Primeira	90	0	T

total **180** minutos e **0** Gol
Vitória: 1 :: **Empate:** 0 :: **Derrota:** 1

DENÍLSON (1998/2002)

Nome: Denílson de Oliveira
Nascimento: 24 de agosto de 1977
Local: São Bernardo do Campo (SP)

Histórico na Copa

Nº	Data	Placar	Adversário	Local	Fase	M	G	T/R
1	10/6/1998	2 x 1	Escócia	Saint-Denis	Primeira	20	0	R
2	16/6/1998	3 x 0	Marrocos	Nantes	Primeira	3	0	R
3	23/6/1998	1 x 2	Noruega	Marselha	Primeira	90	0	T
4	27/6/1998	4 x 1	Chile	Paris	Oitavas	25	0	R
5	3/7/1998	3 x 2	Dinamarca	Nantes	Quartas	26	0	R
6	7/7/1998	1 x 1	Holanda	Marselha	Semifinal	50	0	R

Nos pênaltis: Brasil 4 x 2

7	12/7/1998	0 x 3	França	Saint-Denis	Final	45	0	R
8	3/6/2002	2 x 1	Turquia	Ulsan	Primeira	23	0	R
9	8/6/2002	4 x 0	China	Seogwipo	Primeira	45	0	R
10	17/6/2002	2 x 0	Bélgica	Kobe	Oitavas	33	0	R
11	26/6/2002	1 x 0	Turquia	Saitama	Semifinal	25	0	R
12	30/6/2002	2 x 0	Alemanha	Yokohama	Final	1	0	R

total **386** minutos e **0** Gol
Vitórias: 9 :: **Empate:** 1 :: **Derrotas:** 2

DEQUINHA (1954)

Nome: José Mendonça dos Santos
Nascimento: 19 de março de 1928
Local: Mossoró (RN)

Histórico na Copa
Nunca jogou

DIDA (1958)

Nome: Evaldo Alves de Santa Rosa
Nascimento: 26 de março de 1934
Local: Maceió (AL)

Histórico na Copa

Nº	Data	Placar	Adversário	Local	Fase	M	G	T/R
1	8/6/1958	3 x 0	Áustria	Udevalla	Primeira	90	0	T

total **90** minutos e **0** Gol
Vitória: 1 :: **Empate:** 0 :: **Derrota:** 0

DIDA (1998/2002/2006)

Nome: Nélson de Jesus Silva
Nascimento: 7 de outubro de 1973
Local: Irará (BA)

Histórico na Copa

Nº	Data	Placar	Adversário	Local	Fase	M	G	T/R
1	13/6/2006	1 x 0	Croácia	Berlim	Primeira	90	(0)	T
2	18/6/2006	2 x 0	Austrália	Munique	Primeira	90	(0)	T
3	22/6/2006	4 x 1	Japão	Dortmund	Primeira	82	(1)	T
4	27/6/2006	3 x 0	Gana	Dortmund	Oitavas	90	(0)	T
5	1/7/2006	0 x 1	França	Frankfurt	Quartas	90	(1)	T

total **442** minutos e **(2)** Gols
Vitórias: 4 :: **Empate:** 0 :: **Derrota:** 1

DIDI (1954/1958/1962)

Nome: Waldir Pereira
Nascimento: 8 de agosto de 1928
Local: Campos (RJ)

Histórico nas Copas

Nº	Data	Placar	Adversário	Local	Fase	M	G	T/R
1	16/6/1954	5 x 0	México	Genebra	Primeira	90	1	T
2	19/6/1954	1 x 1	Iugoslávia	Lausanne	Primeira	120	1	T
3	27/6/1954	2 x 4	Hungria	Berna	Quartas	90	0	T
4	8/6/1958	3 x 0	Áustria	Udevalla	Primeira	90	0	T
5	11/6/1958	0 x 0	Inglaterra	Gotemburgo	Primeira	90	0	T
6	15/6/1958	2 x 0	União Soviética	Gotemburgo	Primeira	90	0	T
7	19/6/1958	1 x 0	País de Gales	Gotemburgo	Quartas	90	0	T
8	24/6/1958	5 x 2	França	Estocolmo	Semifinal	90	1	T
9	29/6/1958	5 x 2	Suécia	Estocolmo	Final	90	0	T
10	30/5/1962	2 x 0	México	Viña del Mar	Primeira	90	0	T
11	2/6/1962	0 x 0	Tchecoslováquia	Viña del Mar	Primeira	90	0	T
12	6/6/1962	2 x 1	Espanha	Viña del Mar	Primeira	90	0	T
13	10/6/1962	3 x 1	Inglaterra	Viña del Mar	Quartas	90	0	T
14	13/6/1962	4 x 2	Chile	Santiago	Semifinal	90	0	T
15	17/6/1962	3 x 1	Tchecoslováquia	Santiago	Final	90	0	T

total **1.380** minutos e **3** Gols
Vitórias: 11 :: **Empates:** 3 :: **Derrota:** 1

DINO SANI (1958)

Nome: Dino Sani
Nascimento: 23 de maio de 1932
Local: São Paulo (SP)

Histórico na Copa

Nº	Data	Placar	Adversário	Local	Fase	M	G	T/R
1	8/6/1958	3 x 0	Áustria	Udevalla	Primeira	90	0	T
2	11/6/1958	0 x 0	Inglaterra	Gotemburgo	Primeira	90	0	T

total **180** minutos e **0** Gol
Vitória: 1 :: **Empate:** 1 :: **Derrota:** 0

DIRCEU (1974/1978/1982)

Nome: Dirceu José Guimarães
Nascimento: 15 de junho de 1952
Local: Curitiba (PR)

Histórico nas Copas

Nº	Data	Placar	Adversário	Local	Fase	M	G	T/R
1	26/6/1974	1 x 0	Alemanha Or.	Hanover	Semifinal	90	0	T
2	30/6/1974	2 x 1	Argentina	Hanover	Semifinal	90	0	T
3	3/7/1974	0 x 2	Holanda	Dortmund	Semifinal	90	0	T
4	6/7/1974	0 x 1	Polônia	Munique	Disputa 3º lugar	90	0	T
5	3/6/1978	1 x 1	Suécia	Mar del Plata	Primeira	10	0	T
6	7/6/1978	0 x 0	Espanha	Mar del Plata	Primeira	90	0	T
7	11/6/1978	1 x 0	Áustria	Mar del Plata	Primeira	90	0	T
8	14/6/1978	3 x 0	Peru	Mendoza	Semifinal	90	2	T
9	18/6/1978	0 x 0	Argentina	Rosário	Semifinal	90	0	T
10	21/6/1978	3 x 1	Polônia	Mendoza	Semifinal	90	0	T
11	24/6/1978	2 x 1	Itália	Buenos Aires	Disputa 3º lugar	90	1	T
12	14/6/1982	2 x 1	União Soviética	Sevilha	Primeira	45	0	T

total **955** minutos e **3** Gols
Vitórias: 7 :: **Empates:** 3 :: **Derrotas:** 2

DJALMA SANTOS (1954/1958/1962/1966)

Nome: Djalma dos Santos
Nascimento: 2 de julho de 1929
Local: São Paulo (SP)

Histórico nas Copas

Nº	Data	Placar	Adversário	Local	Fase	M	G	T/R
1	16/6/1954	5 x 0	México	Genebra	Primeira	90	0	T
2	19/6/1954	1 x 1	Iugoslávia	Lausanne	Primeira	120	0	T
3	27/6/1954	2 x 4	Hungria	Berna	Quartas	90	1	T
4	29/6/1958	5 x 2	Suécia	Estocolmo	Final	90	0	T
5	30/5/1962	2 x 0	México	Viña del Mar	Primeira	90	0	T
6	2/6/1962	0 x 0	Tchecoslováquia	Viña del Mar	Primeira	90	0	T
7	6/6/1962	2 x 1	Espanha	Viña del Mar	Primeira	90	0	T
8	10/6/1962	3 x 1	Inglaterra	Viña del Mar	Quartas	90	0	T
9	13/6/1962	4 x 2	Chile	Santiago	Semifinal	90	0	T
10	17/6/1962	3 x 1	Tchecoslováquia	Santiago	Final	90	0	T
11	12/7/1966	2 x 0	Bulgária	Liverpool	Primeira	90	0	T
12	15/7/1966	1 x 3	Hungria	Liverpool	Primeira	90	0	T

total **1.110** minutos e **1** Gol
Vitórias: 8 :: **Empates:** 2 :: **Derrotas:** 2

DOCA (1930)

Nome: Alfredo de Almeida Rego
Nascimento: 7 de abril de 1903
Local: Rio de Janeiro (RJ)

Histórico na Copa
Nunca jogou

DOMINGOS DA GUIA (1938)

Nome: Domingos Antônio da Guia
Nascimento: 19 de novembro de 1912
Local: Rio de Janeiro (RJ)

Histórico na Copa

Nº	Data	Placar	Adversário	Local	Fase	M	G	T/R
1	5/6/1938	6 x 5	Polônia	Estrasburgo	Primeira	120	0	T
2	12/6/1938	1 x 1	Tchecoslováquia	Bordeaux	Quartas	120	0	T
3	16/6/1938	1 x 2	Itália	Marselha	Semifinal	90	0	T
4	19/6/1938	4 x 2	Suécia	Bordeaux	Disputa 3º lugar	90	0	T

total **420** minutos e **0** Gol
Vitórias: 2 :: **Empate:** 1 :: **Derrota:** 1

DORIVA (1998)

Nome: Dorival Guidoni Júnior
Nascimento: 28 de maio de 1972
Local: Nhandeara (SP)

Histórico na Copa

Nº	Data	Placar	Adversário	Local	Fase	M	G	T/R
1	16/6/1998	3 x 0	Marrocos	Nantes	Primeira	22	0	R

total **22** minutos e **0** Gol
Vitória: 1 :: **Empate:** 0 :: **Derrota:** 0

DUNGA (1990/1994/1998)

Nome: Carlos Caetano Bledorn Verri
Nascimento: 31 de outubro de 1963
Local: Ijuí (RS)

Histórico nas Copas

Nº	Data	Placar	Adversário	Local	Fase	M	G	T/R
1	10/6/1990	2 x 1	Suécia	Turim	Primeira	90	0	T
2	16/6/1990	1 x 0	Costa Rica	Turim	Primeira	90	0	T
3	20/6/1990	1 x 0	Escócia	Turim	Primeira	90	0	T
4	24/6/1990	0 x 1	Argentina	Turim	Oitavas	90	0	T
5	20/6/1994	2 x 0	Rússia	San Francisco	Primeira	90	0	T
6	24/6/1994	3 x 0	Camarões	San Francisco	Primeira	90	0	T
7	28/6/1994	1 x 1	Suécia	Detroit	Primeira	90	0	T
8	4/7/1994	1 x 0	Estados Unidos	San Francisco	Oitavas	90	0	T
9	9/7/1994	3 x 2	Holanda	Dallas	Quartas	90	0	T
10	13/7/1994	1 x 0	Suécia	Los Angeles	Semifinal	90	0	T
11	17/7/1994	0 x 0	Itália	Los Angeles	Final	120	0	T

Nos pênaltis: Brasil 3 x 2

12	10/6/1998	2 x 1	Escócia	Saint-Denis	Primeira	80	0	T
13	16/6/1998	3 x 0	Marrocos	Nantes	Primeira	90	0	T
14	23/6/1998	1 x 2	Noruega	Marselha	Primeira	90	0	T
15	27/6/1998	4 x 1	Chile	Paris	Oitavas	90	0	T
16	3/7/1998	3 x 2	Dinamarca	Nantes	Quartas	90	0	T
17	7/7/1998	1 x 1	Holanda	Marselha	Semifinal	120	0	T

Nos pênaltis: Brasil 4 x 2

18	12/7/1998	0 x 3	França	Saint-Denis	Final	90	0	T

total **1.670** minutos e **0** Gol
Vitórias: 12 :: **Empates:** 3 :: **Derrotas:** 3

ÉDER (1982)

Nome: Éder Aleixo de Assis
Nascimento: 125 de maio de 1957
Local: Vespasiano (MG)

Histórico na Copa

Nº	Data	Placar	Adversário	Local	Fase	M	G	T/R
1	14/6/1982	2 x 1	União Soviética	Sevilha	Primeira	90	1	T
2	18/6/1982	4 x 1	Escócia	Sevilha	Primeira	90	1	T
3	23/6/1982	4 x 0	Nova Zelândia	Sevilha	Primeira	90	0	T
4	2/7/1982	3 x 1	Argentina	Barcelona	Quartas	90	0	T
5	5/7/1982	2 x 3	Itália	Barcelona	Quartas	90	0	T

total **450** minutos e **2** Gols
Vitórias: 4 :: **Empate:** 0 :: **Derrota:** 1

EDEVALDO (1982)

Nome: Edevaldo de Freitas
Nascimento: 28 de janeiro de 1958
Local: Campos (RJ)

Histórico na Copa

Nº	Data	Placar	Adversário	Local	Fase	M	G	T/R
1	2/7/1982	3 x 1	Argentina	Barcelona	Quartas	8	0	R

total **8** minutos e **0** Gol
Vitória: 1 :: **Empate:** 0 :: **Derrota:** 0

EDÍLSON (2002)

Nome: Edílson da Silva Ferreira
Nascimento: 17 de setembro de 1971
Local: Salvador (BA)

Histórico na Copa

Nº	Data	Placar	Adversário	Local	Fase	M	G	T/R
1	8/6/2002	4 x 0	China	Seogwipo	Primeira	18	0	R
2	13/6/2002	5 x 2	Costa Rica	Suwon	Primeira	57	0	T
3	21/6/2002	2 x 1	Inglaterra	Shizuoka	Quartas	20	0	R
4	26/6/2002	1 x 0	Turquia	Saitama	Semifinal	75	0	T

total **170** minutos e **0** Gol
Vitórias: 4 :: **Empate:** 0 :: **Derrota:** 0

EDINHO (1978/1982/1986)

Nome: Edino Nazareth Filho
Nascimento: 5 de junho de 1955
Local: Rio de Janeiro (RJ)

Histórico nas Copas

Nº	Data	Placar	Adversário	Local	Fase	M	G	T/R
1	3/6/1978	1 x 1	Suécia	Mar del Plata	Primeira	90	0	T
2	7/6/1978	0 x 0	Espanha	Mar del Plata	Primeira	90	0	T
3	18/6/1978	0 x 0	Argentina	Rosário	Semifinal	56	0	R
4	23/6/1982	4 x 0	Nova Zelândia	Sevilha	Primeira	15	0	R
5	1/6/1986	1 x 0	Espanha	Guadalajara	Primeira	90	0	T
6	6/6/1986	1 x 0	Argélia	Guadalajara	Primeira	90	0	T
7	12/6/1986	3 x 0	Irlanda do Norte	Guadalajara	Primeira	90	0	T
8	16/6/1986	4 x 0	Polônia	Guadalajara	Oitavas	90	1	T
9	21/6/1986	1 x 1	França	Guadalajara	Quartas	120	0	T

Nos pênaltis: França 4 x 3

total **731** minutos e **1** Gol
Vitórias: 5 :: **Empates:** 4 :: **Derrota:** 0

EDIVALDO (1986)

Nome: Edivaldo Martins da Fonseca
Nascimento: 13 de abril de 1962
Local: Volta Redonda (RJ)

Histórico na Copa
Nunca jogou

EDMUNDO (1998)

Nome: Edmundo Alves de Souza Neto
Nascimento: 2 de abril de 1971
Local: Rio de Janeiro (RJ)

Histórico na Copa

Nº	Data	Placar	Adversário	Local	Fase	M	G	T/R
1	16/6/1998	3 x 0	Marrocos	Nantes	Primeira	18	0	R
2	12/7/1998	0 x 3	França	Saint-Denis	Final	15	0	R

total **33** minutos e **0** Gol
Vitória: 1 :: **Empate:** 0 :: **Derrota:** 1

EDMÍLSON (2002)

Nome: Edmílson José Gomes Moraes
Nascimento: 10 de julho de 1976
Local: Taquaritinga (SP)

Histórico na Copa

Nº	Data	Placar	Adversário	Local	Fase	M	G	T/R
1	3/6/2002	2 x 1	Turquia	Ulsan	Primeira	90	0	T
2	13/6/2002	5 x 2	Costa Rica	Suwon	Primeira	90	1	T
3	17/6/2002	2 x 0	Bélgica	Kobe	Oitavas	90	0	T
4	21/6/2002	2 x 1	Inglaterra	Shizuoka	Quartas	90	0	T
5	26/6/2002	1 x 0	Turquia	Saitama	Semifnal	90	0	T
6	30/6/2002	2 x 0	Alemanha	Yokohama	Final	90	0	T

total **540** minutos e **1** Gol
Vitórias: 6 :: **Empate:** 0 :: **Derrota:** 0

EDSON (1986)

Nome: Edson Boaro
Nascimento: 3 de julho de 1959
Local: São José do Rio Preto (SP)

Histórico na Copa

Nº	Data	Placar	Adversário	Local	Fase	M	G	T/R
1	1/6/1986	1 x 0	Espanha	Guadalajara	Primeira	90	0	T
2	6/6/1986	1 x 0	Argélia	Guadalajara	Primeira	10	0	T

total **100** minutos e **0** Gol
Vitórias: 2 :: **Empate:** 0 :: **Derrota:** 0

EDU (1966/1970/1974)

Nome: Jonas Eduardo Américo
Nascimento: 6 de agosto de 1949
Local: Campinas (SP)

Histórico na Copa

Nº	Data	Placar	Adversário	Local	Fase	M	G	T/R
1	10/6/1970	3 x 2	Romênia	Guadalajara	Primeira	16	0	R
2	22/6/1974	3 x 0	Zaire	Gelsenkirchen	Primeira	90	0	T

total **106** minutos e **0** Gol
Vitórias: 2 :: **Empate:** 0 :: **Derrota:** 0

ELY (1950/1954)

Nome: Ely do Amparo
Nascimento: 14 de maio de 1921
Local: Paracambi (RJ)

Histórico na Copa

Nº	Data	Placar	Adversário	Local	Fase	M	G	T/R
1	24/6/1950	4 x 0	México	Maracanã	Primeira	90	0	T

total **90** minutos e **0** Gol
Vitória: 1 :: **Empate:** 0 :: **Derrota:** 0

ELZO (1986)

Nome: Elzo Aloísio Coelho
Nascimento: 22 de janeiro de 1961
Local: Serrania (MG)

Histórico na Copa

Nº	Data	Placar	Adversário	Local	Fase	M	G	T/R
1	1/6/1986	1 x 0	Espanha	Guadalajara	Primeira	90	0	T
2	6/6/1986	1 x 0	Argélia	Guadalajara	Primeira	90	0	T
3	12/6/1986	3 x 0	Irlanda do Norte	Guadalajara	Primeira	90	0	T
4	16/6/1986	4 x 0	Polônia	Guadalajara	Oitavas	90	0	T
5	21/6/1986	1 x 1	França	Guadalajara	Quartas	120	0	T

Nos pênaltis: França 4 x 3

total **480** minutos e **0** Gol
Vitórias: 4 :: **Empate:** 1 :: **Derrota:** 0

EMERSON (1998/2006)

Nome: Emerson Ferreira da Rosa
Nascimento: 4 de abril de 1976
Local: Pelotas (RS)

Histórico na Copa

Nº	Data	Placar	Adversário	Local	Fase	M	G	T/R
1	3/7/1998	3 x 2	Dinamarca	Nantes	Quartas	18	0	R
2	7/7/1998	1 x 1	Holanda	Marselha	Semifinal	35	0	R

Nos pênaltis: Brasil 4 x 2

3	13/6/2006	1 x 0	Croácia	Berlim	Primeira	90	0	T
4	18/6/2006	2 x 0	Austrália	Munique	Primeira	72	0	T
5	27/6/2006	3 x 0	Gana	Dortmund	Oitavas	45	0	T

total **260** minutos e **0** Gol
Vitórias: 4 :: **Empate:** 1 :: **Derrota:** 0

EVERALDO (1970)

Nome: Everaldo Marques da Silva
Nascimento: 11 de setembro de 1944
Local: Porto Alegre (RS)

Histórico na Copa

Nº	Data	Placar	Adversário	Local	Fase	M	G	T/R
1	3/6/1970	4 x 1	Tchecoslováquia	Guadalajara	Primeira	90	0	T
2	7/6/1970	1 x 0	Inglaterra	Guadalajara	Primeira	90	0	T
3	10/6/1970	3 x 2	Romênia	Guadalajara	Primeira	60	0	T
4	17/6/1970	3 x 1	Uruguai	Guadalajara	Semifinal	90	0	T
5	21/6/1970	4 x 1	Itália	Cidade do México	Final	90	0	T

total **420** minutos e **0** Gol
Vitórias: 5 :: **Empate:** 0 :: **Derrota:** 0

FALCÃO (1982/1986)

Nome: Paulo Roberto Falcão
Nascimento: 16 de outubro de 1953
Local: Abelardo Luz (SC)

Histórico nas Copas

Nº	Data	Placar	Adversário	Local	Fase	M	G	T/R
1	14/6/1982	2 x 1	União Soviética	Sevilha	Primeira	90	0	T
2	18/6/1982	4 x 1	Escócia	Sevilha	Primeira	90	1	T
3	23/6/1982	4 x 0	Nova Zelândia	Sevilha	Primeira	90	1	T
4	2/7/1982	3 x 1	Argentina	Barcelona	Quartas	90	0	T
5	5/7/1982	2 x 3	Itália	Barcelona	Quartas	90	1	T
6	1/6/1986	1 x 0	Espanha	Guadalajara	Primeira	11	0	R
7	6/6/1986	1 x 0	Argélia	Guadalajara	Primeira	80	0	R

total **541** minutos e **3** Gols
Vitórias: 6 :: **Empate:** 0 :: **Derrota:** 1

FAUSTO (1930)

Nome: Fausto dos Santos
Nascimento: 28 de janeiro de 1905
Local: Codó (MA)

Histórico na Copa

Nº	Data	Placar	Adversário	Local	Fase	M	G	T/R
1	14/7/1930	1 x 2	Iugoslávia	Montevidéu	Primeira	90	0	T
2	20/7/1930	4 x 0	Bolívia	Montevidéu	Primeira	90	0	T

total **180** minutos e **0** Gol
Vitória: 1 :: **Empate:** 0 :: **Derrota:** 1

FÉLIX (1970)

Nome: Félix Mielli Venerando
Nascimento: 24 de dezembro de 1937
Local: São Paulo (SP)

Histórico na Copa

Nº	Data	Placar	Adversário	Local	Fase	M	G	T/R
1	3/6/1970	4 x 1	Tchecoslováquia	Guadalajara	Primeira	90	(1)	T
2	7/6/1970	1 x 0	Inglaterra	Guadalajara	Primeira	90	(0)	T
3	10/6/1970	3 x 2	Romênia	Guadalajara	Primeira	90	(2)	T
4	14/6/1970	4 x 2	Peru	Guadalajara	Quartas	90	(2)	T
5	17/6/1970	3 x 1	Uruguai	Guadalajara	Semifinal	90	(1)	T
6	21/6/1970	4 x 1	Itália	Cidade do México	Final	90	(1)	T

total **540** minutos e **(7)** Gols
Vitórias: 6 :: **Empate:** 0 :: **Derrota:** 0

FERNANDO (1930)

Nome: Fernando Rubens Paci Giudicelli
Nascimento: 1 de abril de 1903
Local: Rio de Janeiro (RJ)

Histórico na Copa

Nº	Data	Placar	Adversário	Local	Fase	M	G	T/R
1	14/7/1930	1 x 2	Iugoslávia	Montevidéu	Primeira	90	0	T
2	20/7/1930	4 x 0	Bolívia	Montevidéu	Primeira	90	0	T

total **180** minutos e **0** Gol
Vitória: 1 :: **Empate:** 0 :: **Derrota:** 1

FIDÉLIS (1966)

Nome: José Maria Fidélis dos Santos
Nascimento: 13 de março de 1944
Local: São José dos Campos (SP)

Histórico na Copa

Nº	Data	Placar	Adversário	Local	Fase	M	G	T/R
1	19/7/1966	1 x 3	Portugal	Liverpool	Primeira	90	0	T

total **90** minutos e **0** Gol
Vitória: 0 :: **Empate:** 0 :: **Derrota:** 1

FONTANA (1970)

Nome: José de Anchieta Fontana
Nascimento: 31 de dezembro de 1940
Local: Vitória (ES)

Histórico na Copa

Nº	Data	Placar	Adversário	Local	Fase	M	G	T/R
1	10/6/1970	3 x 2	Romênia	Guadalajara	Primeira	90	0	T

total **90** minutos e **0** Gol
Vitória: 1 :: **Empate:** 0 :: **Derrota:** 0

FORTES (1930)

Nome: Agostinho Fortes Filho
Nascimento: 9 de setembro de 1901
Local: Rio de Janeiro (RJ)

Histórico na Copa
Nunca jogou

FRED (2006)

Nome: Frederico Chaves Guedes
Nascimento: 3 de outubro de 1983
Local: Teófilo Otoni (MG)

Histórico na Copa

Nº	Data	Placar	Adversário	Local	Fase	M	G	T/R
1	18/6/2006	2 x 0	Austrália	Munique	Primeira	2	1	R

total **2** minutos e **1** Gol
Vitória: 1 :: **Empate:** 0 :: **Derrota:** 1

FRIAÇA (1950)

Nome: Albino Friaça Cardoso
Nascimento: 20 de outubro de 1924
Local: Porciúncula (RJ)

Histórico na Copa

Nº	Data	Placar	Adversário	Local	Fase	M	G	T/R
1	24/6/1950	4 x 0	México	Maracanã	Primeira	90	0	T
2	28/6/1950	2 x 2	Suíça	Pacaembu	Primeira	90	0	T
3	13/7/1950	6 x 1	Espanha	Maracanã	Final	90	0	T
4	16/7/1950	1 x 2	Uruguai	Maracanã	Final	90	1	T

total **360** minutos e **1** Gol
Vitórias: 2 :: **Empate:** 1 :: **Derrota:** 1

GARRINCHA (1958/1962/1966)

Nome: Manuel dos Santos
Nascimento: 28 de outubro de 1933
Local: Pau Grande (RJ)

Histórico nas Copas

Nº	Data	Placar	Adversário	Local	Fase	M	G	T/R
1	15/6/1958	2 x 0	União Soviética	Gotemburgo	Primeira	90	0	T
2	19/6/1958	1 x 0	País de Gales	Gotemburgo	Quartas	90	0	T
3	24/6/1958	5 x 2	França	Estocolmo	Semifinal	90	0	T
4	29/6/1958	5 x 2	Suécia	Estocolmo	Final	90	0	T
5	30/5/1962	2 x 0	México	Viña del Mar	Primeira	90	0	T
6	2/6/1962	0 x 0	Tchecoslováquia	Viña del Mar	Primeira	90	0	T
7	6/6/1962	2 x 1	Espanha	Viña del Mar	Primeira	90	0	T
8	10/6/1962	3 x 1	Inglaterra	Viña del Mar	Quartas	90	2	T
9	13/6/1962	4 x 2	Chile	Santiago	Semifinal	83	2	T
10	17/6/1962	3 x 1	Tchecoslováquia	Santiago	Final	90	0	T
11	12/7/1966	2 x 0	Bulgária	Liverpool	Primeira	90	1	T
12	15/7/1966	1 x 3	Hungria	Liverpool	Primeira	90	0	T

total **1.073** minutos e **5** Gols
Vitórias: 10 :: **Empate:** 1 :: **Derrota:** 1

GERMANO (1934)

Nome: Germano Boettcher Sobrinho
Nascimento: 14 de março de 1911
Local: Rio de Janeiro (RJ)

Histórico na Copa
Nunca jogou

GÉRSON (1966/1970)

Nome: Gérson de Oliveira Nunes
Nascimento: 1 de novembro de 1941
Local: Niterói (RJ)

Histórico nas Copas

Nº	Data	Placar	Adversário	Local	Fase	M	G	T/R
1	15/7/1966	1 x 3	Hungria	Liverpool	Primeira	90	0	T
2	3/6/1970	4 x 1	Tchecoslováquia	Guadalajara	Primeira	62	0	T
3	14/6/1970	4 x 2	Peru	Guadalajara	Quartas	67	0	T
4	17/6/1970	3 x 1	Uruguai	Guadalajara	Semifinal	90	0	T
5	21/6/1970	4 x 1	Itália	Cidade do México	Final	90	1	T

total **399** minutos e **1** Gol
Vitórias: 4 :: **Empate:** 0 :: **Derrota:** 1

GILBERTO (2006)

Nome: Gilberto da Silva Melo
Nascimento: 25 de abril de 1976
Local: Rio de Janeiro (RJ)

Histórico na Copa

Nº	Data	Placar	Adversário	Local	Fase	M	G	T/R
1	22/6/2006	4 x 1	Japão	Dortmund	Primeira	90	1	T

total **90** minutos e **1** Gol
Vitória: 1 :: **Empate:** 0 :: **Derrota:** 0

GIL (1978)

Nome: Gilberto Alves
Nascimento: 24 de dezembro de 1950
Local: Nova Lima (MG)

Histórico na Copa

N°	Data	Placar	Adversário	Local	Fase	M	G	T/R
1	3/6/1978	1 x 1	Suécia	Mar del Plata	Primeira	68	0	T
2	7/6/1978	0 x 0	Espanha	Mar del Plata	Primeira	21	0	R
3	11/6/1978	1 x 0	Áustria	Mar del Plata	Primeira	90	0	T
4	14/6/1978	3 x 0	Peru	Mendoza	Semifinal	70	0	T
5	18/6/1978	0 x 0	Argentina	Rosário	Semifinal	90	0	T
6	21/6/1978	3 x 1	Polônia	Mendoza	Semifinal	90	0	T
7	24/6/1978	2 x 1	Itália	Buenos Aires	Disputa 3° lugar	45	0	T

total **474** minutos e **0** Gol
Vitórias: 4 :: **Empate:** 3 :: **Derrota:** 0

GILBERTO SILVA (2002/2006)

Nome: Gilberto Aparecido da Silva
Nascimento: 7 de outubro de 1976
Local: Lagoa da Prata (MG)

Histórico nas Copas

N°	Data	Placar	Adversário	Local	Fase	M	G	T/R
1	3/6/2002	2 x 1	Turquia	Ulsan	Primeira	90	0	T
2	8/6/2002	4 x 0	China	Seogwipo	Primeira	90	0	T
3	13/6/2002	5 x 2	Costa Rica	Suwon	Primeira	90	0	T
4	17/6/2002	2 x 0	Bélgica	Kobe	Oitavas	90	0	T
5	21/6/2002	2 x 1	Inglaterra	Shizuoka	Quartas	90	0	T
6	26/6/2002	1 x 0	Turquia	Saitama	Semifinal	90	0	T
7	30/6/2002	2 x 0	Alemanha	Yokohama	Final	90	0	T
8	18/6/2006	2 x 0	Austrália	Munique	Primeira	18	0	R
9	22/6/2006	4 x 1	Japão	Dortmund	Primeira	90	0	T
10	27/6/2006	3 x 0	Gana	Dortmund	Oitavas	45	0	R
11	1/7/2006	0 x 1	França	Frankfurt	Quartas	90	0	T

total **873** minutos e **0** Gol
Vitórias: 10 :: **Empate:** 0 :: **Derrota:** 1

GILMAR (1958/1962/1966)

Nome: Gilmar dos Santos Neves
Nascimento: 22 de agosto de 1930
Local: Santos (SP)

Histórico nas Copas

Nº	Data	Placar	Adversário	Local	Fase	M	G	T/R
1	8/6/1958	3 x 0	Áustria	Udevalla	Primeira	90	(0)	T
2	11/6/1958	0 x 0	Inglaterra	Gotemburgo	Primeira	90	(0)	T
3	15/6/1958	2 x 0	União Soviética	Gotemburgo	Primeira	90	(0)	T
4	19/6/1958	1 x 0	País de Gales	Gotemburgo	Quartas	90	(0)	T
5	24/6/1958	5 x 2	França	Estocolmo	Semifinal	90	(2)	T
6	29/6/1958	5 x 2	Suécia	Estocolmo	Final	90	(2)	T
7	30/5/1962	2 x 0	México	Viña del Mar	Primeira	90	(0)	T
8	2/6/1962	0 x 0	Tchecoslováquia	Viña del Mar	Primeira	90	(0)	T
9	6/6/1962	2 x 1	Espanha	Viña del Mar	Primeira	90	(1)	T
10	10/6/1962	3 x 1	Inglaterra	Viña del Mar	Quartas	90	(1)	T
11	13/6/1962	4 x 2	Chile	Santiago	Semifinal	90	(2)	T
12	17/6/1962	3 x 1	Tchecoslováquia	Santiago	Final	90	(1)	T
13	12/7/1966	2x 0	Bulgária	Liverpool	Primeira	90	(0)	T
14	15/7/1966	1 x 3	Hungria	Liverpool	Primeira	90	(3)	T

total **1.260** minutos e **(12)** Gols
Vitórias: 11 :: **Empate:** 2 :: **Derrota:** 1

GILMAR RINALDI (1994)

Nome: Gilmar Luís Rinaldi
Nascimento: 13 de janeiro de 1959
Local: Erexim (RS)

Histórico na Copa
Nunca jogou

GIOVANNI (1998)

Nome: Giovanni Silva de Oliveira
Nascimento: 4 de fevereiro de 1972
Local: Abaetetuba (PA)

Histórico na Copa

Nº	Data	Placar	Adversário	Local	Fase	M	G	T/R
1	10/6/1998	2 x 1	Escócia	Saint-Denis	Primeira	45	0	T

total **45** minutos e **0** Gol
Vitória: 1 :: **Empate:** 0 :: **Derrota:** 0

GONÇALVES (1998)

Nome: Marcelo Gonçalves Costa Lopes
Nascimento: 22 de fevereiro de 1966
Local: Rio de Janeiro (RJ)

Histórico na Copa

Nº	Data	Placar	Adversário	Local	Fase	M	G	T/R
1	23/6/1998	1 x 2	Noruega	Marselha	Primeira	90	0	T
2	27/6/1998	4 x 1	Chile	Paris	Oitavas	13	0	R

total **103** minutos e **0** Gol
Vitória: 1 :: **Empate:** 0 :: **Derrota:** 1

HÉRCULES (1938)

Nome: Hércules de Miranda
Nascimento: 2 de julho de 1912
Local: Guaxupé (MG)

Histórico na Copa

Nº	Data	Placar	Adversário	Local	Fase	M	G	T/R
1	5/6/1938	6 x 5	Polônia	Estrasburgo	Primeira	120	0	T
2	12/6/1938	1 x 1	Tchecoslováquia	Bordeaux	Quartas	120	0	T

total **240** minutos e **0** Gol
Vitória: 1 :: **Empate:** 1 :: **Derrota:** 0

HERMÓGENES (1930)

Nome: Hermógenes Valente Fonseca
Nascimento: 4 de novembro de 1908
Local: Rio de Janeiro (RJ)

Histórico na Copa

Nº	Data	Placar	Adversário	Local	Fase	M	G	T/R
1	14/7/1930	1 x 2	Iugoslávia	Montevidéu	Primeira	90	0	T
2	20/7/1930	4 x 0	Bolívia	Montevidéu	Primeira	90	0	T

total **180** minutos e **0** Gol
Vitória: 1 :: **Empate:** 0 :: **Derrota:** 1

HUMBERTO TOZZI (1954)

Nome: Humberto Barbosa Tozzi
Nascimento: 4 de fevereiro de 1934
Local: São João de Meriti (RJ)

Histórico na Copa

Nº	Data	Placar	Adversário	Local	Fase	M	G	T/R
1	27/6/1954	2 x 4	Hungria	Berna	Quartas	79	0	T

total **79** minutos e **0** Gol
Vitória: 0 :: **Empate:** 0 :: **Derrota:** 1

ÍNDIO (1954)

Nome: Aloísio Francisco da Luz
Nascimento: 1º de março de 1931
Local: Cabedelo (PB)

Histórico na Copa

Nº	Data	Placar	Adversário	Local	Fase	M	G	T/R
1	27/6/1954	2 x 4	Hungria	Berna	Quartas	90	0	T

total **90** minutos e **0** Gol
Vitória: 0 :: **Empate:** 0 :: **Derrota:** 1

ITÁLIA (1930)

Nome: Luís Gervazzoni
Nascimento: 22 de maio de 1907
Local: Rio de Janeiro (RJ)

Histórico na Copa

Nº	Data	Placar	Adversário	Local	Fase	M	G	T/R
1	14/7/1930	1 x 2	Iugoslávia	Montevidéu	Primeira	90	0	T
2	20/7/1930	4 x 0	Bolívia	Montevidéu	Primeira	90	0	T

total **180** minutos e **0** Gol
Vitória: 1 :: **Empate:** 0 :: **Derrota:** 1

JAIR DA COSTA (1962)

Nome: Jair da Costa
Nascimento: 9 de julho de 1940
Local: Santo André (SP)

Histórico na Copa
Nunca jogou

JAIR MARINHO (1962)

Nome: Jair Marinho de Oliveira
Nascimento: 17 de julho de 1936
Local: Niterói (RJ)

Histórico na Copa
Nunca jogou

JAIR ROSA PINTO (1950)

Nome: Jair Rosa Pinto
Nascimento: 21 de março de 1921
Local: Quatis (RJ)

Histórico na Copa

Nº	Data	Placar	Adversário	Local	Fase	M	G	T/R
1	24/6/1950	4 x 0	México	Maracanã	Primeira	90	1	T
2	1/7/1950	2 x 0	Iugoslávia	Maracanã	Primeira	90	0	T
3	9/7/1950	7 x 1	Suécia	Maracanã	Final	90	0	T
4	13/7/1950	6 x 1	Espanha	Maracanã	Final	90	0	T
5	16/7/1950	1 x 2	Uruguai	Maracanã	Final	90	0	T

total **450** minutos e **1** Gol
Vitórias: 4 :: **Empate:** 0 :: **Derrota:** 1

JAIRZINHO (1966/1970/1974)

Nome: Jair Ventura Filho
Nascimento: 25 de dezembro de 1944
Local: Rio de Janeiro (RJ)

Histórico nas Copas

Nº	Data	Placar	Adversário	Local	Fase	M	G	T/R
1	12/7/1966	2 x 0	Bulgária	Liverpool	Primeira	90	0	T
2	15/7/1966	1 x 3	Hungria	Liverpool	Primeira	90	0	T
3	19/7/1966	1 x 3	Portugal	Liverpool	Primeira	90	0	T
4	3/6/1970	4 x 1	Tchecoslováquia	Guadalajara	Primeira	90	2	T
5	7/6/1970	1 x 0	Inglaterra	Guadalajara	Primeira	90	1	T
6	10/6/1970	3 x 2	Romênia	Guadalajara	Primeira	90	1	T
7	14/6/1970	4 x 2	Peru	Guadalajara	Quartas	80	1	T
8	17/6/1970	3 x 1	Uruguai	Guadalajara	Semifinal	90	1	T
9	21/6/1970	4 x 1	Itália	Cidade do México	Final	90	1	T
10	13/6/1974	0 x 0	Iugoslávia	Frankfurt	Primeira	90	0	T
11	18/6/1974	0 x 0	Escócia	Frankfurt	Primeira	90	0	T
12	22/6/1974	3 x 0	Zaire	Gelsenkirchen	Primeira	90	1	T

13	26/6/1974	1 x 0	Alemanha Or.	Hanover	Semifinal	90	0	T
14	30/6/1974	2 x 1	Argentina	Hanover	Semifinal	90	1	T
15	3/7/1974	0 x 2	Holanda	Dortmund	Semifinal	90	0	T
16	6/7/1974	0 x 1	Polônia	Munique	Disputa 3º lugar	90	0	T

total **1.430** minutos e **9** Gols
Vitórias: 10 :: **Empates:** 2 :: **Derrotas:** 4

JAÚ (1938)
Nome: Euclydes Barbosa
Nascimento: 7 de dezembro de 1909
Local: São Paulo (SP)

Histórico na Copa

Nº	Data	Placar	Adversário	Local	Fase	M	G	T/R
1	14/6/1938	2 x 1	Tchecoslováquia	Bordeaux	Quartas	90	0	T

total **90** minutos e **0** Gol
Vitória: 1 :: **Empate:** 0 :: **Derrota:** 0

JOEL (1930)
Nome: Joel de Oliveira Monteiro
Nascimento: 1 de maio de 1904
Local: Rio de Janeiro (RJ)

Histórico na Copa

Nº	Data	Placar	Adversário	Local	Fase	M	G	T/R
1	14/7/1930	1 x 2	Iugoslávia	Montevidéu	Primeira	90	(2)	t

total **90** minutos e **(2)** Gols
Vitória: 0 :: **Empate:** 0 :: **Derrota:** 1

JOEL CAMARGO (1970)
Nome: Jair da Costa
Nascimento: Joel Camargo
Local: Santos (SP)

Histórico na Copa
Nunca jogou

JOEL (1958)

Nome: Joel Antônio Martins
Nascimento: 23 de novembro de 1931
Local: Rio de Janeiro (RJ)

Histórico na Copa

Nº	Data	Placar	Adversário	Local	Fase	M	G	T/R
1	8/6/1958	3 x 0	Áustria	Udevalla	Primeira	90	0	T
2	11/6/1958	0 x 0	Inglaterra	Gotemburgo	Primeira	90	0	T

total **180** minutos e **0** Gol
Vitória: 1 :: **Empate:** 1 :: **Derrota:** 0

JORGE MENDONÇA (1978)

Nome: Jorge Pinto Mendonça
Nascimento: 6 de junho de 1954
Local: Silva Jardim (RJ)

Histórico na Copa

Nº	Data	Placar	Adversário	Local	Fase	M	G	T/R
1	7/6/1978	0 x 0	Espanha	Mar del Plata	Primeira	7	0	R
2	11/6/1978	1 x 0	Áustria	Mar del Plata	Primeira	84	0	T
3	14/6/1978	3 x 0	Peru	Mendoza	Semifinal	90	0	T
4	18/6/1978	0 x 0	Argentina	Rosário	Semifinal	67	0	T
5	21/6/1978	3 x 1	Polônia	Mendoza	Semifinal	83	0	R
6	24/6/1978	2 x 1	Itália	Buenos Aires	Disputa 3º lugar	90	0	T

total **421** minutos e **0** Gol
Vitórias: 4 :: **Empates:** 2 :: **Derrota:** 0

JORGINHO (1990/1994)

Nome: Jorge Amorim de Oliveira Campos
Nascimento: 17 de agosto de 1964
Local: Rio de Janeiro (RJ)

Histórico nas Copas

Nº	Data	Placar	Adversário	Local	Fase	M	G	T/R
1	10/6/1990	2 x 1	Suécia	Turim	Primeira	90	0	T
2	16/6/1990	1 x 0	Costa Rica	Turim	Primeira	90	0	T
3	20/6/1990	1 x 0	Escócia	Turim	Primeira	90	0	T
4	24/6/1990	0 x 1	Argentina	Turim	Oitavas	90	0	T
5	20/6/1994	2 x 0	Rússia	San Francisco	Primeira	90	0	T
6	24/6/1994	3 x 0	Camarões	San Francisco	Primeira	90	0	T
7	28/6/1994	1 x 1	Suécia	Detroit	Primeira	90	0	T
8	4/7/1994	1 x 0	Estados Unidos	San Francisco	Oitavas	90	0	T
9	9/7/1994	3 x 2	Holanda	Dallas	Quartas	90	0	T
10	13/7/1994	1 x 0	Suécia	Los Angeles	Semifinal	90	0	T
11	17/7/1994	0 x 0	Itália	Los Angeles	Final	21	0	T

Nos pênaltis: Brasil 3 x 2

total **921** minutos e **0** Gol
Vitórias: 8 :: **Empates:** 2 :: **Derrota:** 1

JOSIMAR (1986)

Nome: Josimar Higino Pereira
Nascimento: 19 de setembro de 1961
Local: Rio de Janeiro (RJ)

Histórico na Copa

Nº	Data	Placar	Adversário	Local	Fase	M	G	T/R
1	12/6/1986	3 x 0	Irlanda do Norte	Guadalajara	Primeira	90	1	T
2	16/6/1986	4 x 0	Polônia	Guadalajara	Oitavas	90	1	T
3	21/6/1986	1 x 1	França	Guadalajara	Quartas	120	0	T

total **300** minutos e **2** Gols
Vitórias: 2 :: **Empate:** 1 :: **Derrota:** 0

JUAN (2006)

Nome: Juan Silveria dos Santos
Nascimento: 1 de fevereiro de 1979
Local: Rio de Janeiro (RJ)

Histórico na Copa

Nº	Data	Placar	Adversário	Local	Fase	M	G	T/R
1	13/6/2006	1 x 0	Croácia	Berlim	Primeira	90	0	T
2	18/6/2006	2 x 0	Austrália	Munique	Primeira	90	0	T
3	22/6/2006	4 x 1	Japão	Dortmund	Primeira	90	0	T
4	27/6/2006	3 x 0	Gana	Dortmund	Oitavas	90	0	T
5	1/7/2006	0 x 1	França	Frankfurt	Quartas	90	0	T

total **450** minutos e **0** Gol
Vitórias: 4 :: **Empate:** 0 :: **Derrota:** 1

JULINHO (1954)

Nome: Júlio Botelho
Nascimento: 29 de julho de 1929
Local: São Paulo (SP)

Histórico na Copa

Nº	Data	Placar	Adversário	Local	Fase	M	G	T/R
1	16/6/1954	5 x 0	México	Genebra	Primeira	90	1	T
2	19/6/1954	1 x 1	Iugoslávia	Lausanne	Primeira	120	0	T
3	27/6/1954	2 x 4	Hungria	Berna	Quartas	90	1	T

total **300** minutos e **2** Gols
Vitória: 1 :: **Empate:** 1 :: **Derrota:** 1

JÚLIO CÉSAR (2006)

Nome: Júlio César Soares Espíndola
Nascimento: 3 de setembro de 1979
Local: Rio de Janeiro (RJ)

Histórico na Copa
Nunca jogou

JÚLIO CÉSAR (1986)

Nome: Júlio César da Silva
Nascimento: 8 de março de 1963
Local: Bauru (SP)

Histórico na Copa

Nº	Data	Placar	Adversário	Local	Fase	M	G	T/R
1	1/6/1986	1 x 0	Espanha	Guadalajara	Primeira	90	0	T
2	6/6/1986	1 x 0	Argélia	Guadalajara	Primeira	90	0	T
3	12/6/1986	3 x 0	Irlanda do Norte	Guadalajara	Primeira	90	0	T
4	16/6/1986	4 x 0	Polônia	Guadalajara	Oitavas	90	0	T
5	21/6/1986	1 x 1	França	Guadalajara	Quartas	120	0	T

Nos pênaltis: França 4 x 3

total **480** minutos e **0** Gol
Vitórias: 4 :: **Empate:** 1 :: **Derrota:** 0

JUNINHO (1982)

Nome: Alcides Fonseca Júnior
Nascimento: 29 de agosto de 1958
Local: Olímpia (SP)

Histórico na Copa
Nunca jogou

JUNINHO PAULISTA (2002)

Nome: Oswaldo Giroldo Júnior
Nascimento: 22 de fevereiro de 1973
Local: São Paulo (SP)

Histórico na Copa

Nº	Data	Placar	Adversário	Local	Fase	M	G	T/R
1	3/6/2002	2 x 1	Turquia	Ulsan	Primeira	72	0	T
2	8/6/2002	4 x 0	China	Seogwipo	Primeira	70	0	T
3	13/6/2002	5 x 2	Costa Rica	Suwon	Primeira	61	0	T
4	17/6/2002	2 x 0	Bélgica	Kobe	Oitavas	57	0	T
5	30/6/2002	2 x 0	Alemanha	Yokohama	Final	5	0	T

total **265** minutos e **0** Gol
Vitórias: 5 :: **Empate:** 0 :: **Derrota:** 0

JUNINHO PERNAMBUCANO (2006)

Nome: Antônio Augusto Ribeiro Reis Júnior
Nascimento: 30 de janeiro de 1975
Local: Recife (PE)

Histórico na Copa

Nº	Data	Placar	Adversário	Local	Fase	M	G	T/R
1	22/6/2006	4 x 1	Japão	Dortmund	Primeira	90	1	T
2	27/6/2006	3 x 0	Gana	Dortmund	Oitavas	29	0	R
3	1/7/2006	0 x 1	França	Frankfurt	Quartas	63	0	T

total **182** minutos e **1** Gol
Vitórias: 2 :: **Empate:** 0 :: **Derrota:** 1

JÚNIOR (1982/1986)

Nome: Leovegildo Lins Gama Júnior
Nascimento: 19 de junho de 1954
Local: João Pessoa (PB)

Histórico nas Copas

Nº	Data	Placar	Adversário	Local	Fase	M	G	T/R
1	14/6/1982	2 x 1	União Soviética	Sevilha	Primeira	90	0	T
2	18/6/1982	4 x 1	Escócia	Sevilha	Primeira	90	0	T
3	23/6/1982	4 x 0	Nova Zelândia	Sevilha	Primeira	90	0	T
4	2/7/1982	3 x 1	Argentina	Barcelona	Quartas	90	1	T
5	5/7/1982	2 x 3	Itália	Barcelona	Quartas	90	0	T
6	1/6/1986	1 x 0	Espanha	Guadalajara	Primeira	79	0	T
7	6/6/1986	1 x 0	Argélia	Guadalajara	Primeira	90	0	T
8	12/6/1986	3 x 0	Irlanda do Norte	Guadalajara	Primeira	90	0	T
9	16/6/1986	4 x 0	Polônia	Guadalajara	Oitavas	90	0	T
10	21/6/1986	1 x 1	França	Guadalajara	Quartas	91	0	T

Nos pênaltis: França 4 x 3

total **890** minutos e **1** Gol
Vitórias: 8 :: **Empate:** 1 :: **Derrota:** 1

JÚNIOR (2002)

Nome: Jenílson Ângelo de Souza
Nascimento: 20 de junho de 1973
Local: Santo Antônio de Jesus (BA)

Histórico na Copa

Nº	Data	Placar	Adversário	Local	Fase	M	G	T/R
1	13/6/2002	5 x 2	Costa Rica	Suwon	Primeira	90	1	T

total **90** minutos e **1** Gol
Vitória: 1 :: **Empate:** 0 :: **Derrota:** 0

JÚNIOR BAIANO (1998)

Nome: Raimundo Ferreira Ramos Júnior
Nascimento: 14 de março de 1970
Local: Feira de Santana (BA)

Histórico na Copa

Nº	Data	Placar	Adversário	Local	Fase	M	G	T/R
1	10/6/1998	2 x 1	Escócia	Saint-Denis	Primeira	90	0	T
2	16/6/1998	3 x 0	Marrocos	Nantes	Primeira	90	0	T
3	23/6/1998	1 x 2	Noruega	Marselha	Primeira	90	0	T
4	27/6/1998	4 x 1	Chile	Paris	Oitavas	90	0	T
5	3/7/1998	3 x 2	Dinamarca	Nantes	Quartas	90	0	T
6	7/7/1998	1 x 1	Holanda	Marselha	Semifinal	120	0	T

Nos pênaltis: França 4 x 3

7	12/7/1998	0 x 3	França	Saint-Denis	Final	90	0	T

total **660** minutos e **0** Gol
Vitórias: 4 :: **Empate:** 1 :: **Derrota:** 2

JURANDYR (1962)

Nome: Jurandyr de Freitas
Nascimento: 12 de novembro de 1940
Local: São Paulo (SP)

Histórico na Copa
Nunca jogou

JUVENAL (1950)

Nome: Juvenal Amarijo
Nascimento: 27 de novembro de 1923
Local: Santa Vitória do Palmar (RS)

Histórico na Copa

Nº	Data	Placar	Adversário	Local	Fase	M	G	T/R
1	24/6/1950	4 x 0	México	Maracanã	Primeira	90	0	T
2	28/6/1950	2 x 2	Suíça	Pacaembu	Primeira	90	0	T
3	1/7/1950	2 x 0	Iugoslávia	Maracanã	Primeira	90	0	T
4	9/7/1950	7 x 1	Suécia	Maracanã	Final	90	0	T
5	13/7/1950	6 x 1	Espanha	Maracanã	Final	90	0	T
6	16/7/1950	1 x 2	Uruguai	Maracanã	Final	90	0	T

total **540** minutos e **0** Gol
Vitórias: 4 :: **Empate:** 1 :: **Derrota:** 0

KAKÁ (2002/2006)

Nome: Ricardo Izecson Santos Leite
Nascimento: 15 de maio de 1982
Local: Brasília (DF)

Histórico nas Copas

Nº	Data	Placar	Adversário	Local	Fase	M	G	T/R
1	13/6/2002	5 x 2	Costa Rica	Suwon	Primeira	18	0	R
2	13/6/2006	1 x 0	Croácia	Berlim	Primeira	90	1	T
3	18/6/2006	2 x 0	Austrália	Munique	Primeira	90	0	T
4	22/6/2006	4 x 1	Japão	Dortmund	Primeira	71	0	T
5	27/6/2006	3 x 0	Gana	Dortmund	Oitavas	83	0	T
6	1/7/2006	0 x 1	França	Frankfurt	Quartas	79	0	T

total **431** minutos e **1** Gol
Vitórias: 5 :: **Empate:** 0 :: **Derrota:** 1

KLÉBERSON (2002)

Nome: José Kléberson Pereira
Nascimento: 16 de junho de 1979
Local: Uraí (PR)

Histórico na Copa

Nº	Data	Placar	Adversário	Local	Fase	M	G	T/R
1	13/6/2002	5 x 2	Costa Rica	Suwon	Primeira	33	0	R
2	17/6/2002	2 x 0	Bélgica	Kobe	Oitavas	9	0	R
3	21/6/2002	2 x 1	Inglaterra	Shizuoka	Quartas	90	0	T
4	26/6/2002	1 x 0	Turquia	Saitama	Semifinal	85	0	T
5	30/6/2002	2 x 0	Alemanha	Yokohama	Final	90	0	T

total **307** minutos e **0** Gol
Vitórias: 5 :: **Empate:** 0 :: **Derrota:** 0

LEANDRO (1982)

Nome: José Leandro de Souza Ferreira
Nascimento: 17 de março de 1959
Local: Cabo Frio (RJ)

Histórico na Copa

Nº	Data	Placar	Adversário	Local	Fase	M	G	T/R
1	14/6/1982	2 x 1	União Soviética	Sevilha	Primeira	90	0	T
2	18/6/1982	4 x 1	Escócia	Sevilha	Primeira	90	0	T
3	23/6/1982	4 x 0	Nova Zelândia	Sevilha	Primeira	90	0	T
4	2/7/1982	3 x 1	Argentina	Barcelona	Quartas	82	0	T
5	5/7/1982	2 x 3	Itália	Barcelona	Quartas	90	0	T

total **442** minutos e **0** Gol
Vitórias: 4 :: **Empate:** 0 :: **Derrota:** 1

LEÃO (1970/1974/1978/1986)

Nome: Emerson Leão
Nascimento: 11 de julho de 1949
Local: Ribeirão Preto (SP)

Histórico nas Copas

Nº	Data	Placar	Adversário	Local	Fase	M	G	T/R
1	13/6/1974	0 x 0	Iugoslávia	Frankfurt	Primeira	90	(0)	T
2	18/6/1974	0 x 0	Escócia	Frankfurt	Primeira	90	(0)	T
3	22/6/1974	3 x 0	Zaire	Gelsenkirchen	Primeira	90	(0)	T
4	26/6/1974	1 x 0	Alemanha Or.	Hanover	Semifinal	90	(0)	T
5	30/6/1974	2 x 1	Argentina	Hanover	Semifinal	90	(1)	T
6	3/7/1974	0 x 2	Holanda	Dortmund	Semifinal	90	(2)	T
7	6/7/1974	0 x 1	Polônia	Munique	Disputa 3º lugar	90	(1)	T
8	3/6/1978	1 x 1	Suécia	Mar del Plata	Primeira	90	(1)	T
9	7/6/1978	0 x 0	Espanha	Mar del Plata	Primeira	90	(0)	T
10	11/6/1978	1 x 0	Áustria	Mar del Plata	Primeira	90	(0)	T
11	14/6/1978	3 x 0	Peru	Mendoza	Semifinal	90	(0)	T
12	18/6/1978	0 x 0	Argentina	Rosário	Semifinal	90	(0)	T
13	21/6/1978	3 x 1	Polônia	Mendoza	Semifinal	90	(1)	T
14	24/6/1978	2 x 1	Itália	Buenos Aires	Disputa 3º lugar	90	(1)	T

total **1.260** minutos e **(7)** Gols
Vitórias: 7 :: **Empates:** 5 :: **Derrotas:** 2

LEIVINHA (1974)

Nome: João Leiva Filho
Nascimento: 11 de setembro de 1949
Local: Novo Horizonte (SP)

Histórico na Copa

Nº	Data	Placar	Adversário	Local	Fase	M	G	T/R
1	13/6/1974	0 x 0	Iugoslávia	Frankfurt	Primeiras	90	0	T
2	18/6/1974	0 x 0	Escócia	Frankfurt	Primeiras	65	0	T
3	22/6/1974	3 x 0	Zaire	Gelsenkirchen	Primeiras	19	0	T

total **174** minutos e **0** Gol
Vitória: 1 :: **Empates:** 2 :: **Derrota:** 0

LEONARDO (1994/1998)

Nome: Leonardo Nascimento de Araújo
Nascimento: 5 de fevereiro de 1969
Local: Niterói (RJ)

Histórico nas Copas

Nº	Data	Placar	Adversário	Local	Fase	M	G	T/R
1	20/6/1994	2 x 0	Rússia	San Francisco	Primeira	90	0	T
2	24/6/1994	3 x 0	Camarões	San Francisco	Primeira	90	0	T
3	28/6/1994	1 x 1	Suécia	Detroit	Primeira	90	0	T
4	4/7/1994	1 x 0	Estados Unidos	San Francisco	Oitavas	43	0	T
5	10/6/1998	2 x 1	Escócia	Saint-Denis	Primeira	45	0	R
6	16/6/1998	3 x 0	Marrocos	Nantes	Primeira	90	0	T
7	23/6/1998	1 x 2	Noruega	Marselha	Primeira	90	0	T
8	27/6/1998	4 x 1	Chile	Paris	Oitavas	90	0	T
9	3/7/1998	3 x 2	Dinamarca	Nantes	Quartas	72	0	T
10	7/7/1998	1 x 1	Holanda	Marselha	Semifinal	85	0	T

Nos pênaltis: Brasil 4 x 2

| 11 | 12/7/1998 | 0 x 3 | França | Saint-Denis | Final | 45 | 0 | T |

total **830** minutos e **0** Gol
Vitórias: 7 :: **Empates:** 2 :: **Derrotas:** 2

LEÔNIDAS DA SILVA (1934/1938)

Nome: Leônidas da SIlva
Nascimento: 9 de junho de 1913
Local: Rio de Janeiro (RJ)

Histórico nas Copas

Nº	Data	Placar	Adversário	Local	Fase	M	G	T/R
1	27/5/1934	1 x 3	Espanha	Gênova	Primeira	90	1	T
2	5/6/1938	6 x 5	Polônia	Estrasburgo	Primeira	120	3	T
3	12/6/1938	1 x 1	Tchecoslováquia	Bordeaux	Quartas	120	1	T
4	14/6/1938	2 x 1	Tchecoslováquia	Bordeaux	Quartas	90	1	T
5	19/6/1938	4 x 2	Suécia	Bordeaux	Disputa 3º lugar	90	2	T

total **510** minutos e **8** Gols
Vitórias: 3 :: **Empate:** 1 :: **Derrota:** 1

LIMA (1966)

Nome: Antônio Lima dos Santos
Nascimento: 18 de janeiro de 1942
Local: São Sebastião do Paraíso (MG)

Histórico na Copa

Nº	Data	Placar	Adversário	Local	Fase	M	G	T/R
1	12/7/1966	2 x 0	Bulgária	Liverpool	Primeira	90	0	T
2	15/7/1966	1 x 3	Hungria	Liverpool	Primeira	90	0	T
3	19/7/1966	1 x 3	Portugal	Liverpool	Primeira	90	0	T

total **270** minutos e **0** Gol
Vitória: 1 :: **Empate:** 0 :: **Derrotas:** 2

LOPES (1938)

Nome: José dos Santos Lopes
Nascimento: 1 de novembro de 1910
Local: Batatais (SP)

Histórico na Copa

Nº	Data	Placar	Adversário	Local	Fase	M	G	T/R
1	5/6/1938	6 x 5	Polônia	Estrasburgo	Primeira	120	0	T
2	12/6/1938	1 x 1	Tchecoslováquia	Bordeaux	Quartas	120	0	T
3	16/6/1938	1 x 2	Itália	Marselha	Semifinal	90	0	T

total **330** minutos e **0** Gol
Vitória: 1 :: **Empate:** 1 :: **Derrota:** 1

LÚCIO (2002/2006)

Nome: Lucimar da Silva Ferreira
Nascimento: 8 de maio de 1978
Local: Brasília (DF)

Histórico nas Copas

Nº	Data	Placar	Adversário	Local	Fase	M	G	T/R
1	3/6/2002	2 x 1	Turquia	Ulsan	Primeira	90	0	T
2	8/6/2002	4 x 0	China	Seogwipo	Primeira	90	0	T
3	13/6/2002	5 x 2	Costa Rica	Suwon	Primeira	90	0	T
4	17/6/2002	2 x 0	Bélgica	Kobe	Oitavas	90	0	T
5	21/6/2002	2 x 1	Inglaterra	Shizuoka	Quartas	90	0	T
6	26/6/2002	1 x 0	Turquia	Saitama	Semifinal	90	0	T
7	30/6/2002	2 x 0	Alemanha	Yokohama	Final	90	0	T
8	13/6/2006	1 x 0	Croácia	Berlim	Primeira	90	0	T
9	18/6/2006	2 x 0	Austrália	Munique	Primeira	90	0	T
10	22/6/2006	4 x 1	Japão	Dortmund	Primeira	90	0	T
11	27/6/2006	3 x 0	Gana	Dortmund	Oitavas	90	0	T
12	1/7/2006	0 x 1	França	Frankfurt	Quartas	90	0	T

total **1.080** minutos e **0** Gol
Vitórias: 11 :: **Empate:** 0 :: **Derrota:** 1

LUISÃO (2006)

Nome: Anderson Luís da Silva
Nascimento: 13 de fevereiro de 1981
Local: Amparo (SP)

Histórico na Copa
Nunca jogou

LUIZ LUZ (1934)

Nome: Luiz dos Santos Luz
Nascimento: 26 de janeiro de 1909
Local: Porto Alegre (RS)

Histórico na Copa
Nunca jogou

LUIZ PEREIRA (1974)

Nome: Luiz Edmundo Pereira
Nascimento: 21 de junho de 1949
Local: Juazeiro (BA)

Histórico na Copa

Nº	Data	Placar	Adversário	Local	Fase	M	G	T/R
1	13/6/1974	0 x 0	Iugoslávia	Frankfurt	Primeira	90	0	T
2	18/6/1974	0 x 0	Escócia	Frankfurt	Primeira	90	0	T
3	22/6/1974	3 x 0	Zaire	Gelsenkirchen	Primeira	90	0	T
4	26/6/1974	1 x 0	Alemanha Or.	Hanover	Semifinal	90	0	T
5	30/6/1974	2 x 1	Argentina	Hanover	Semifinal	90	0	T
6	3/7/1974	0 x 2	Holanda	Dortmund	Semifinal	84	0	T

total **534** minutos e **0** Gol
Vitórias: 3 :: **Empates:** 2 :: **Derrota:** 1

LUIZÃO (2002)

Nome: Luiz Carlos Bombonato Goulart
Nascimento: 14 de novembro de 1975
Local: Rubineia (SP)

Histórico na Copa

Nº	Data	Placar	Adversário	Local	Fase	M	G	T/R
1	3/6/2002	2 x 1	Turquia	Ulsan	Primeira	17	0	R
2	26/6/2002	1 x 0	Turquia	Saitama	Semifinal	22	0	R

total **39** minutos e **0** Gol
Vitórias: 2 :: **Empate:** 0 :: **Derrota:** 0

LUIZINHO (1982)

Nome: Luiz Carlos Ferreira
Nascimento: 23 de outubro de 1958
Local: Nova Lima (MG)

Histórico nas Copas

Nº	Data	Placar	Adversário	Local	Fase	M	G	T/R
1	14/6/1982	2 x 1	União Soviética	Sevilha	Primeira	90	0	T
2	18/6/1982	4 x 1	Escócia	Sevilha	Primeira	90	0	T

3	23/6/1982	4 x 0	Nova Zelândia	Sevilha	Primeira	90	0	T
4	2/7/1982	3 x 1	Argentina	Barcelona	Quartas	90	0	T
5	5/7/1982	2 x 3	Itália	Barcelona	Quartas	90	0	T

total **450** minutos e **0** Gol
Vitórias: 4 :: **Empate:** 0 :: **Derrota:** 1

LUIZINHO (1934/1938)

Nome: Luiz Mesquita de Oliveira
Nascimento: 29 de março de 1911
Local: Rio de Janeiro (RJ)

Histórico na Copa

Nº	Data	Placar	Adversário	Local	Fase	M	G	T/R
1	27/5/1934	1 x 3	Espanha	Gênova	Primeira	90	0	T
2	14/6/1938	2 x 1	Tchecoslováquia	Bordeaux	Quartas	90	0	T
3	16/6/1938	1 x 2	Itália	Marselha	Semifinal	90	0	T

total **270** minutos e **0** Gol
Vitória: 1 :: **Empate:** 0 :: **Derrota:** 2

MACHADO (1938)

Nome: Arthur Machado
Nascimento: 1º de janeiro de 1909
Local: Niterói (RJ)

Histórico na Copa

Nº	Data	Placar	Adversário	Local	Fase	M	G	T/R
1	5/6/1938	6 x 5	Polônia	Estrasburgo	Primeira	120	0	T
2	12/6/1938	1 x 1	Tchecoslováquia	Bordeaux	Quartas	89	0	T
3	16/6/1938	1 x 2	Itália	Marselha	Semifinal	90	0	T
4	19/6/1938	4 x 2	Suécia	Bordeaux	Disputa 3º lugar	90	0	T

total **389** minutos e **0** Gol
Vitórias: 2 :: **Empate:** 1 :: **Derrota:** 1

MANECA (1950)

Nome: Manuel Marinho Alves
Nascimento: 28 de janeiro de 1926
Local: Salvador (BA)

Histórico na Copa

Nº	Data	Placar	Adversário	Local	Fase	M	G	T/R
1	24/6/1950	4 x 0	México	Maracanã	Primeira	90	0	T
2	28/6/1950	2 x 2	Suíça	Pacaembu	Primeira	90	0	T
3	1/7/1950	2 x 0	Iugoslávia	Maracanã	Primeira	90	0	T
4	9/7/1950	7 x 1	Suécia	Maracanã	Final	90	1	T

total **360** minutos e **1** Gol
Vitórias: 3 :: **Empate:** 1 :: **Derrota:** 0

MANGA (1966)

Nome: Haílton Corrêa de Arruda
Nascimento: 26 de abril de 1937
Local: Recife (PE)

Histórico na Copa

Nº	Data	Placar	Adversário	Local	Fase	M	G	T/R
1	19/7/1966	1 x 3	Portugal	Liverpool	Primeira	90	(3)	T

total **90** minutos e **(3)** Gols
Vitória: 0 :: **Empate:** 0 :: **Derrota:** 1

MANUELZINHO (1930)

Nome: Manuel de Aguiar Fagundes
Nascimento: 2 de janeiro de 1901
Local: Niterói (RJ)

Histórico na Copa
Nunca jogou

MÁRCIO SANTOS (1994)

Nome: Márcio Roberto dos Santos
Nascimento: 15 de setembro de 1969
Local: São Paulo (SP)

Histórico na Copa

Nº	Data	Placar	Adversário	Local	Fase	M	G	T/R
1	20/6/1994	2 x 0	Rússia	San Francisco	Primeira	90	0	T
2	24/6/1994	3 x 0	Camarões	San Francisco	Primeira	90	1	T
3	28/6/1994	1 x 1	Suécia	Detroit	Primeira	90	0	T
4	4/7/1994	1 x 0	Estados Unidos	San Francisco	Oitavas	90	0	T
5	9/7/1994	3 x 2	Holanda	Dallas	Quartas	90	0	T
6	13/7/1994	1 x 0	Suécia	Los Angeles	Semifinal	90	0	T
7	17/7/1994	0 x 0	Itália	Los Angeles	Final	120	0	T

Nos pênaltis: Brasil 3 x 2

total **660** minutos e **1** Gol
Vitórias: 5 :: **Empates:** 2 :: **Derrota:** 0

MARCO ANTÔNIO (1970/1974)

Nome: Marco Antônio Feliciano
Nascimento: 6 de fevereiro de 1961
Local: Santos (SP)

Histórico na Copa

Nº	Data	Placar	Adversário	Local	Fase	M	G	T/R
1	10/6/1970	3 x 2	Romênia	Guadalajara	Primeira	30	0	R
2	14/6/1970	4 x 2	Peru	Guadalajara	Quartas	90	0	T

total **120** minutos e **0** Gol
Vitórias: 2 :: **Empate:** 0 :: **Derrota:** 0

MARCOS (2002)

Nome: Marcos Roberto Silveira Reis
Nascimento: 4 de agosto de 1973
Local: Oriente (SP)

Histórico na Copa

Nº	Data	Placar	Adversário	Local	Fase	M	G	T/R
1	3/6/2002	2 x 1	Turquia	Ulsan	Primeira	90	(1)	T
2	8/6/2002	4 x 0	China	Seogwipo	Primeira	90	(0)	T
3	13/6/2002	5 x 2	Costa Rica	Suwon	Primeira	90	(2)	T
4	17/6/2002	2 x 0	Bélgica	Kobe	Oitavas	90	(0)	T
5	21/6/2002	2 x 1	Inglaterra	Shizuoka	Quartas	90	(1)	T
6	26/6/2002	1 x 0	Turquia	Saitama	Semifinal	90	(0)	T
7	30/6/2002	2 x 0	Alemanha	Yokohama	Final	90	(0)	T

total **630** minutos e **(4)** Gols
Vitórias: 7 :: **Empate:** 0 :: **Derrota:** 0

MARINHO CHAGAS (1974)

Nome: Francisco das Chagas Marinho
Nascimento: 8 de fevereiro de 1952
Local: Natal (RN)

Histórico na Copa

Nº	Data	Placar	Adversário	Local	Fase	M	G	T/R
1	13/6/1974	0 x 0	Iugoslávia	Frankfurt	Primeira	90	0	T
2	18/6/1974	0 x 0	Escócia	Frankfurt	Primeira	90	0	T
3	22/6/1974	3 x 0	Zaire	Gelsenkirchen	Primeira	90	0	T
4	26/6/1974	1 x 0	Alemanha Or.	Hanover	Semifinal	90	0	T
5	30/6/1974	2 x 1	Argentina	Hanover	Semifinal	90	0	T
6	3/7/1974	0 x 2	Holanda	Dortmund	Semifinal	90	0	T
7	6/7/1974	0 x 1	Polônia	Munique	Disputa 3º lugar	90	0	T

total **630** minutos e **0** Gol
Vitórias: 3 :: **Empates:** 2 :: **Derrotas:** 2

MARINHO PERES (1974)

Nome: Mário Peres Ulibarri
Nascimento: 19 de março de 1947
Local: Sorocaba (SP)

Histórico na Copa

Nº	Data	Placar	Adversário	Local	Fase	M	G	T/R
1	13/6/1974	0 x 0	Iugoslávia	Frankfurt	Primeira	90	0	T
2	18/6/1974	0 x 0	Escócia	Frankfurt	Primeira	90	0	T
3	22/6/1974	3 x 0	Zaire	Gelsenkirchen	Primeira	90	0	T
4	26/6/1974	1 x 0	Alemanha Or.	Hanover	Semifinal	90	0	T
5	30/6/1974	2 x 1	Argentina	Hanover	Semifinal	90	0	T
6	3/7/1974	0 x 2	Holanda	Dortmund	Semifinal	90	0	T
7	6/7/1974	0 x 1	Polônia	Munique	Disputa 3º lugar	90	0	T

total **630** minutos e **0** Gol
Vitórias: 3 :: **Empates:** 2 :: **Derrotas:** 2

MARTIM (1934/1938)

Nome: Martim Mércio da Silveira
Nascimento: 19 de novembro de 1910
Local: Bagé (RS)

Histórico nas Copas

Nº	Data	Placar	Adversário	Local	Fase	M	G	T/R
1	27/5/1934	1 x 3	Espanha	Gênova	Primeira	90	0	T
2	5/6/1938	6 x 5	Polônia	Estrasburgo	Primeira	120	0	T
3	12/6/1938	1 x 1	Tchecoslováquia	Bordeaux	Quartas	120	T	T
4	16/6/1938	1 x 2	Itália	Marselha	Semifinal	90	0	T

total **300** minutos e **0** Gol
Vitória: 1 :: **Empate:** 1 :: **Derrotas:** 2

MAURINHO (1954)

Nome: Mauro Raphael
Nascimento: 6 de junho de 1933
Local: Araraquara (SP)

Histórico na Copa

Nº	Data	Placar	Adversário	Local	Fase	M	G	T/R
1	27/6/1954	2 x 4	Hungria	Berna	Quartas	90	0	T

total **90** minutos e **0** Gol
Vitória: 0 :: **Empate:** 0 :: **Derrota:** 1

MAURO GALVÃO (1986/1990)

Nome: Mauro Geraldo Galvão
Nascimento: 19 de dezembro de 1961
Local: Porto Alegre (RS)

Histórico na Copa

Nº	Data	Placar	Adversário	Local	Fase	M	G	T/R
1	10/6/1990	2 x 1	Suécia	Turim	Primeira	90	0	T
2	16/6/1990	1 x 0	Costa Rica	Turim	Primeira	90	0	T
3	20/6/1990	1 x 0	Escócia	Turim	Primeira	90	0	T
4	24/6/1990	0 x 1	Argentina	Turim	Oitavas	84	0	T

total **354** minutos e **0** Gol
Vitórias: 3 :: **Empate:** 0 :: **Derrota:** 1

MAURO RAMOS (1954/1958/1962)

Nome: Mauro Ramos de Oliveira
Nascimento: 30 de agosto de 1930
Local: Poços de Caldas (MG)

Histórico na Copa

Nº	Data	Placar	Adversário	Local	Fase	M	G	T/R
1	30/5/1962	2 x 0	México	Viña del Mar	Primeira	90	0	T
2	2/6/1962	0 x 0	Tchecoslováquia	Viña del Mar	Primeira	90	0	T
3	6/6/1962	2 x 1	Espanha	Viña del Mar	Primeira	90	0	T
4	10/6/1962	3 x 1	Inglaterra	Viña del Mar	Quartas	90	0	T
5	13/6/1962	4 x 2	Chile	Santiago	Semifinal	90	0	T
6	17/6/1962	3 x 1	Tchecoslováquia	Santiago	Primeira	90	0	T

total **540** minutos e **0** Gol
Vitórias: 5 :: **Empate:** 1 :: **Derrota:** 0

MAURO SILVA (1994)

Nome: Mauro da Silva
Nascimento: 12 de janeiro de 1968
Local: São Bernardo do Campo (SP)

Histórico na Copa

Nº	Data	Placar	Adversário	Local	Fase	M	G	T/R
1	20/6/1994	2 x 0	Rússia	San Francisco	Primeira	90	0	T
2	24/6/1994	3 x 0	Camarões	San Francisco	Primeira	90	0	T
3	28/6/1994	1 x 1	Suécia	Detroit	Primeira	45	0	T
4	4/7/1994	1 x 0	Estados Unidos	San Francisco	Oitavas	90	0	T
5	9/7/1994	3 x 2	Holanda	Dallas	Quartas	90	0	T
6	13/7/1994	1 x 0	Suécia	Los Angeles	Semifinal	90	0	T
7	17/7/1994	0 x 0	Itália	Los Angeles	Final	120	0	T

Nos pênaltis: Brasil 3 x 2

total **615** minutos e **0** Gol
Vitórias: 5 :: **Empates:** 2 :: **Derrota:** 0

MAZINHO (1990/1994)

Nome: Iomar do Nascimento
Nascimento: 8 de abril de 1966
Local: Santa Rita (PB)

Histórico na Copa

Nº	Data	Placar	Adversário	Local	Fase	M	G	T/R
1	20/6/1994	2 x 0	Rússia	San Francisco	Primeira	10	0	T
2	28/6/1994	1 x 1	Suécia	Detroit	Primeira	45	0	T
3	4/7/1994	1 x 0	Estados Unidos	San Francisco	Oitavas	90	0	T
4	9/7/1994	3 x 2	Holanda	Dallas	Quartas	81	0	T
5	13/7/1994	1 x 0	Suécia	Los Angeles	Semifinal	45	0	T
6	17/7/1994	0 x 0	Itália	Los Angeles	Final	120	0	T

Nos pênaltis: Brasil 3 x 2

total **391** minutos e **0** Gol
Vitórias: 4 :: **Empates:** 2 :: **Derrota:** 0

MAZZOLA (1958)

Nome: José João Altafani
Nascimento: 24 de julho de 1938
Local: Piracicaba (SP)

Histórico na Copa

Nº	Data	Placar	Adversário	Local	Fase	M	G	T/R
1	8/6/1958	3 x 0	Áustria	Udevalla	Primeira	90	2	T
2	11/6/1958	0 x 0	Inglaterra	Gotemburgo	Primeira	90	0	T
3	19/6/1958	1 x 0	País de Gales	Gotemburgo	Quartas	90	0	T

total **270** minutos e **2** Gols
Vitórias: 2 :: **Empate:** 1 :: **Derrota:** 0

MENGÁLVIO (1962)

Nome: Mengálvio Figueiró
Nascimento: 17 de dezembro de 1939
Local: Laguna (SC)

Histórico na Copa
Nunca jogou

MINEIRO (2006)

Nome: Carlos Luciano da Silva
Nascimento: 2 de agosto de 1975
Local: Porto Alegre (RS)

Histórico na Copa
Nunca jogou

MIRANDINHA (1974)

Nome: Sebastião Miranda da Silva Filho
Nascimento: 26 de fevereiro de 1952
Local: Bebedouro (SP)

Histórico na Copa

Nº	Data	Placar	Adversário	Local	Fase	M	G	T/R
1	18/6/1974	0 x 0	Escócia	Frankfurt	Primeira	90	0	T
2	22/6/1974	3 x 0	Zaire	Gelsenkirchen	Primeira	20	0	R

| 3 | 3/7/1974 | 0 x 2 | Holanda | Dortmund | Semifinal | 29 | 0 | R |
| 4 | 6/7/1974 | 0 x 1 | Polônia | Munique | Disputa 3º lugar | 24 | 0 | R |

total **163** minutos e **0** Gol
Vitória: 1 :: **Empate:** 1 :: **Derrotas:** 2

MOACIR (1958)

Nome: Moacyr Claudino Pinto
Nascimento: 18 de maio de 1936
Local: São Paulo (SP)

Histórico na Copa
Nunca jogou

MODERATO (1930)

Nome: Moderato Wisintainer
Nascimento: 12 de abril de 1903
Local: Alegrete (RS)

Histórico na Copa

Nº	Data	Placar	Adversário	Local	Fase	M	G	T/R
1	20/7/1930	4 x 0	Bolívia	Montevidéu	Primeira	90	2	T

total **90** minutos e **2** Gols
Vitória: 1 :: **Empate:** 0 :: **Derrota:** 0

MOZER (1990)

Nome: José Carlos Nepomuceno Mozer
Nascimento: 19 de setembro de 1960
Local: Rio de Janeiro (RJ)

Histórico na Copa

Nº	Data	Placar	Adversário	Local	Fase	M	G	T/R
1	10/6/1990	2 x 1	Suécia	Turim	Primeira	90	0	T
2	16/6/1990	1 x 0	Costa Rica	Turim	Primeira	90	0	T

total **180** minutos e **0** Gol
Vitórias: 2 :: **Empate:** 0 :: **Derrota:** 0

MÜLLER (1986/1990/1994)

Nome: Luiz Antônio Corrêa da Costa
Nascimento: 31 de janeiro de 1966
Local: Campo Grande (MS)

Histórico nas Copas

Nº	Data	Placar	Adversário	Local	Fase	M	G	T/R
1	1/6/1986	1 x 0	Espanha	Guadalajara	Primeira	24	0	R
2	6/6/1986	1 x 0	Argélia	Guadalajara	Primeira	31	0	R
3	12/6/1986	3 x 0	Irlanda do Norte	Guadalajara	Primeira	26	0	T
4	16/6/1986	4 x 0	Polônia	Guadalajara	Oitavas	73	0	T
5	21/6/1986	1 x 1	França	Guadalajara	Quartas	71	0	T

Nos pênaltis: França 4 x 3

6	10/6/1990	2 x 1	Suécia	Turim	Primeira	90	0	T
7	16/6/1990	1 x 0	Costa Rica	Turim	Primeira	90	1	T
8	20/6/1990	1 x 0	Escócia	Turim	Primeira	25	1	R
9	24/6/1990	0 x 1	Argentina	Turim	Oitavas	90	0	T
10	24/6/1994	3 x 0	Camarões	San Francisco	Primeira	9	0	R

total **529** minutos e **2** Gols
Vitórias: 8 :: **Empate:** 1 :: **Derrota:** 1

NARIZ (1938)

Nome: Álvaro Lopes Cançado
Nascimento: 8 de fevereiro de 1912
Local: Uberaba (MG)

Histórico na Copa

Nº	Data	Placar	Adversário	Local	Fase	M	G	T/R
1	14/6/1938	2 x 1	Tchecoslováquia	Bordeaux	Quartas	90	0	T

total **90** minutos e **0** Gol
Vitória: 1 :: **Empate:** 0 :: **Derrota:** 0

NELINHO (1974/1978)

Nome: Manoel Rezende de Matos Cabral
Nascimento: 26 de julho de 1950
Local: Rio de Janeiro (RJ)

Histórico nas Copas

Nº	Data	Placar	Adversário	Local	Fase	M	G	T/R
1	13/6/1974	0 x 0	Iugoslávia	Frankfurt	Primeira	90	0	T
2	18/6/1974	0 x 0	Escócia	Frankfurt	Primeira	90	0	T
3	22/6/1974	3 x 0	Zaire	Gelsenkirchen	Primeira	90	0	T
4	3/6/1978	1 x 1	Suécia	Mar del Plata	Primeira	22	0	R
5	7/6/1978	0 x 0	Espanha	Mar del Plata	Primeira	69	0	T
6	21/6/1978	3 x 1	Polônia	Mendoza	Semifinal	90	1	T
7	24/6/1978	2 x 1	Itália	Buenos Aires	Disputa 3º lugar	90	1	T

total **541** minutos e **2** Gols
Vitórias: 3 :: **Empates:** 4 :: **Derrota:** 0

NENA (1950)

Nome: Olavo Rodrigues Barbosa
Nascimento: 11 de julho de 1923
Local: Porto Alegre (RS)

Histórico na Copa
Nunca jogou

NIGINHO (1938)

Nome: Leonísio Fantoni
Nascimento: 12 de fevereiro de 1912
Local: Belo Horizonte (MG)

Histórico na Copa
Nunca jogou

NILO (1930)

Nome: Nilo Murtinho Braga
Nascimento: 3 de abril de 1903
Local: Rio de Janeiro (RJ)

Histórico na Copa

Nº	Data	Placar	Adversário	Local	Fase	M	G	T/R
1	14/7/1930	1 x 2	Iugoslávia	Montevidéu	Primeira	90	0	T

total **90** minutos e **0** Gol
Vitória: 0 :: **Empate:** 0 :: **Derrota:** 1

NÍLTON SANTOS (1950/1954/1958/1962)

Nome: Nílton dos Santos
Nascimento: 16 de maio de 1925
Local: Rio de Janeiro (RJ)

Histórico nas Copas

Nº	Data	Placar	Adversário	Local	Fase	M	G	T/R
1	16/6/1954	5 x 0	México	Genebra	Primeira	90	0	T
2	19/6/1954	1 x 1	Iugoslávia	Lausanne	Primeira	120	0	T
3	27/6/1954	2 x 4	Hungria	Berna	Quartas	71	0	T
4	8/6/1958	3 x 0	Áustria	Udevalla	Primeira	90	1	T
5	11/6/1958	0 x 0	Inglaterra	Gotemburgo	Primeira	90	0	T
6	15/6/1958	2 x 0	União Soviética	Gotemburgo	Primeira	90	0	T
7	19/6/1958	1 x 0	País de Gales	Gotemburgo	Quartas	90	0	T
8	24/6/1958	5 x 2	Suécia	Estocolmo	Semifinal	90	0	T
9	29/6/1958	5 x 2	França	Estocolmo	Final	90	0	T
10	30/5/1962	2 x 0	México	Viña del Mar	Primeira	90	0	T
11	2/6/1962	0 x 0	Tchecoslováquia	Viña del Mar	Primeira	90	0	T
12	6/6/1962	2 x 1	Espanha	Viña del Mar	Primeira	90	0	T
13	10/6/1962	3 x 1	Inglaterra	Viña del Mar	Quartas	90	0	T
14	13/6/1962	4 x 2	Chile	Santiago	Semifinal	90	0	T
15	17/6/1962	3 x 1	Tchecoslováquia	Santiago	Primeira	90	0	T

total **1.361** minutos e **1** Gol
Vitórias: 11 :: **Empates:** 3 :: **Derrota:** 1

NORONHA (1950)

Nome: Alfredo Eduardo Ribeiro Mena Barreto de Freitas Noronha
Nascimento: 25 de setembro de 1918
Local: Porto Alegre (RS)

Histórico na Copa

Nº	Data	Placar	Adversário	Local	Fase	M	G	T/R
1	28/6/1950	2 x 2	Suíça	Pacaembu	Primeira	90	0	T

total **90** minutos e **0** Gol
Vitória: 0 :: **Empate:** 1 :: **Derrota:** 0

OCTACÍLIO (1934)

Nome: Octacílio Pinheiro Guerra
Nascimento: 21 de novembro de 1909
Local: Porto Alegre (RS)

Histórico na Copa
Nunca jogou

ORECO (1958)

Nome: Valdemar Rodrigues Martins
Nascimento: 13 de junho de 1932
Local: Santa Maria (RS)

Histórico na Copa
Nunca jogou

ORLANDO (1958/1966)

Nome: Orlando Peçanha de Carvalho
Nascimento: 20 de setembro de 1935
Local: Niterói (RJ)

Histórico nas Copas

Nº	Data	Placar	Adversário	Local	Fase	M	G	T/R
1	8/6/1958	3 x 0	Áustria	Udevalla	Primeira	90	0	T
2	11/6/1958	0 x 0	Inglaterra	Gotemburgo	Primeira	90	0	T
3	15/6/1958	2 x 0	União Soviética	Gotemburgo	Primeira	90	0	T
4	19/6/1958	1 x 0	País de Gales	Gotemburgo	Quartas	90	0	T
5	24/6/1958	5 x 2	França	Estocolmo	Semifinal	90	0	T
6	29/6/1958	5 x 2	Suécia	Estocolmo	Final	90	0	T
7	19/7/1966	1 x 3	Portugal	Liverpool	Primeira	90	0	T

total **630** minutos e **0** Gol
Vitórias: 5 :: **Empate:** 1 :: **Derrota:** 1

OSCAR (1978/1982/1986)

Nome: José Oscar Bernardi
Nascimento: 20 de junho de 1954
Local: Monte Sião (MG)

Histórico nas Copas

Nº	Data	Placar	Adversário	Local	Fase	M	G	T/R
1	3/6/1978	1 x 1	Suécia	Mar del Plata	Primeira	90	0	T
2	7/6/1978	0 x 0	Espanha	Mar del Plata	Primeira	90	0	T
3	11/6/1978	1 x 0	Áustria	Mar del Plata	Primeira	90	0	T
4	14/6/1978	3 x 0	Peru	Mendoza	Semifinal	90	0	T
5	18/6/1978	0 x 0	Argentina	Rosário	Semifinal	90	0	T
6	21/6/1978	3 x 1	Polônia	Mendoza	Semifinal	90	0	T
7	24/6/1978	2 x 1	Itália	Buenos Aires	Disputa 3º lugar	90	0	T
8	14/6/1982	2 x 1	União Soviética	Sevilha	Primeira	90	0	T
9	18/6/1982	4 x 1	Escócia	Sevilha	Primeira	90	1	T
10	23/6/1982	4 x 0	Nova Zelândia	Sevilha	Primeira	75	0	T
11	2/7/1982	3 x 1	Argentina	Barcelona	Quartas	90	0	T
12	5/7/1982	2 x 3	Itália	Barcelona	Quartas	90	0	T

total **1.065** minutos e **1** Gol
Vitórias: 8 :: **Empates:** 3 :: **Derrota:** 1

OSCARINO (1930)

Nome: Oscarino Costa da Silva
Nascimento: 17 de janeiro de 1907
Local: Niterói (RJ)

Histórico na Copa
Nunca jogou

PAMPLONA (1930)

Nome: Estanislau de Figueiredo Pamplona
Nascimento: 24 de março de 1904
Local: Belém (PA)

Histórico na Copa
Nunca jogou

PARANÁ (1966)

Nome: Ademir de Barros
Nascimento: 21 de março de 1942
Local: Cambará (PR)

Histórico na Copa

Nº	Data	Placar	Adversário	Local	Fase	M	G	T/R
1	19/7/1966	1 x 3	Portugal	Liverpool	Primeira	90	0	T

total **90** minutos e **0** Gol
Vitória: 0 :: **Empate:** 0 :: **Derrota:** 1

PATESKO (1934/1938)

Nome: Rodolfo Barteczko
Nascimento: 12 de novembro de 1910
Local: Curitiba (PR)

Histórico na Copa

Nº	Data	Placar	Adversário	Local	Fase	M	G	T/R
1	27/5/1934	1 x 3	Espanha	Gênova	Primeira	90	0	T
2	14/6/1938	2 x 1	Tchecoslováquia	Bordeaux	Quartas	90	0	T
3	16/6/1938	1 x 2	Itália	Marselha	Semifinal	90	0	T
4	19/6/1938	4 x 2	Suécia	Bordeaux	Disputa 3º lugar	90	0	T

total **360** minutos e **0** Gol
Vitórias: 2 :: **Empate:** 0 :: **Derrotas:** 2

PAULINHO DE ALMEIDA (1954)

Nome: Paulo de Almeida Ribeiro
Nascimento: 15 de abril de 1932
Local: Porto Alegre (RS)

Histórico na Copa
Nunca jogou

PAULO CÉSAR LIMA (1970/1974)

Nome: Paulo César Lima
Nascimento: 16 de junho de 1949
Local: Rio de Janeiro (RJ)

Histórico nas Copas

Nº	Data	Placar	Adversário	Local	Fase	M	G	T/R
1	3/6/1970	4 x 1	Tchecoslováquia	Guadalajara	Primeira	28	0	R
2	7/6/1970	1 x 0	Inglaterra	Guadalajara	Primeira	90	0	T
3	10/6/1970	3 x 2	Romênia	Guadalajara	Primeira	90	0	T
4	14/6/1970	4 x 2	Peru	Guadalajara	Quartas	23	0	R
5	13/6/1974	0 x 0	Iugoslávia	Frankfurt	Primeira	90	0	T
6	18/6/1974	0 x 0	Escócia	Frankfurt	Primeira	90	0	T
7	26/6/1974	1 x 0	Alemanha Or.	Hanover	Semifinal	90	0	T
8	30/6/1974	2 x 1	Argentina	Hanover	Semifinal	90	0	T
9	3/7/1974	0 x 2	Holanda	Dortmund	Semifinal	61	0	T

total **652** minutos e **0** Gol
Vitórias: 6 :: **Empates:** 2 :: **Derrota:** 1

PAULO HENRIQUE (1966)

Nome: Paulo Henrique Souza de Oliveira
Nascimento: 5 de janeiro de 1943
Local: Macaé (RJ)

Histórico na Copa

Nº	Data	Placar	Adversário	Local	Fase	M	G	T/R
1	12/7/1966	2 x 0	Bulgária	Liverpool	Primeira	90	0	T
2	15/7/1966	1 x 3	Hungria	Liverpool	Primeira	90	0	T

total **180** minutos e **0** Gol
Vitória: 1 :: **Empate:** 0 :: **Derrota:** 1

PAULO ISIDORO (1982)

Nome: Paulo Isidoro de Jesus
Nascimento: 3 de julho de 1953
Local: Belo Horizonte (MG)

Histórico na Copa

Nº	Data	Placar	Adversário	Local	Fase	M	G	T/R
1	14/6/1982	2 x 1	União Soviética	Sevilha	Primeira	45	0	R
2	18/6/1982	4 x 1	Escócia	Sevilha	Primeira	10	0	R
3	23/6/1982	4 x 0	Nova Zelândia	Sevilha	Primeira	25	0	R
4	5/7/1982	2 x 3	Itália	Barcelona	Quartas	21	0	R

total **101** minutos e **0** Gol
Vitórias: 3 :: **Empate:** 0 :: **Derrota:** 1

PAULO SÉRGIO (1982)

Nome: Paulo Sérgio de Oliveira Lima
Nascimento: 24 de julho de 1954
Local: Rio de Janeiro (RJ)

Histórico na Copa
Nunca jogou

PAULO SÉRGIO (1994)

Nome: Paulo Sérgio Silvestre Nascimento
Nascimento: 2 de junho de 1969
Local: São Paulo (SP)

Histórico na Copa

Nº	Data	Placar	Adversário	Local	Fase	M	G	T/R
1	24/6/1994	3 x 0	Camarões	San Francisco	Primeira	25	0	R
2	28/6/1994	1 x 1	Suécia	Detroit	Primeira	7	0	R

total **32** minutos e **0** Gol
Vitória: 1 :: **Empate:** 1 :: **Derrota:** 0

PAULO VICTOR (1986)

Nome: Paulo Victor Barbosa de Carvalho
Nascimento: 7 de junho de 1957
Local: Belém (PA)

Histórico na Copa
Nunca jogou

PEDRINHO (1982)

Nome: Pedro Luís Vicençote
Nascimento: 22 de outubro de 1957
Local: Santo André (SP)

Histórico na Copa
Nunca jogou

PEDROSA (1934)

Nome: Roberto Gomes Pedrosa
Nascimento: 8 de julho de 1913
Local: Rio de Janeiro (RJ)

Histórico na Copa

Nº	Data	Placar	Adversário	Local	Fase	M	G	T/R
1	27/5/1934	1 x 3	Espanha	Gênova	Primeira	90	(3)	T

total **90** minutos e **(3)** Gols
Vitória: 0 :: **Empate:** 0 :: **Derrota:** 1

PELÉ (1958/1962/1966/1970)

Nome: Édson Arantes do Nascimento
Nascimento: 23 de outubro de 1940
Local: Três Corações (MG)

Histórico nas Copas

Nº	Data	Placar	Adversário	Local	Fase	M	G	T/R
1	15/6/1958	2 x 0	União Soviética	Gotemburgo	Primeira	90	0	T
2	19/6/1958	1 x 0	País de Gales	Gotemburgo	Quartas	90	1	T
3	24/6/1958	5 x 2	França	Estocomo	Semifinal	90	3	T
4	29/6/1958	5 x 2	Suécia	Estocomo	Final	90	2	T
5	30/5/1962	2 x 0	México	Viña del Mar	Primeira	90	1	T
6	2/6/1962	0 x 0	Tchecoslováquia	Viña del Mar	Primeira	90	0	T
7	12/7/1966	2 x 0	Bulgária	Liverpool	Primeira	90	1	T
8	19/7/1966	1 x 3	Portugal	Liverpool	Primeira	90	0	T
9	3/6/1970	4 x 1	Tchecoslováquia	Guadalajara	Primeira	90	1	T
10	7/6/1970	1 x 0	Inglaterra	Guadalajara	Primeira	90	0	T
11	10/6/1970	3 x 2	Romênia	Guadalajara	Primeira	90	2	T
12	14/6/1970	4 x 2	Peru	Guadalajara	Quartas	90	0	T
13	17/6/1970	3 x 1	Uruguai	Guadalajara	Semifinal	90	0	T
14	21/6/1970	4 x 1	Itália	Cidade do México	Final	90	1	T

total **1.260** minutos e **12** Gols
Vitórias: 12 :: **Empate:** 1 :: **Derrota:** 1

PEPE (1958/1962)

Nome: José Macia
Nascimento: 25 de fevereiro de 1935
Local: Santos (SP)

Histórico na Copa
Nunca jogou

PERÁCIO (1938)

Nome: José Perácio Berjun
Nascimento: 2 de novembro de 1917
Local: Nova Lima (MG)

Histórico na Copa

Nº	Data	Placar	Adversário	Local	Fase	M	G	T/R
1	5/6/1938	6 x 5	Polônia	Estrasburgo	Primeira	120	2	T
2	12/6/1938	1 x 1	Tchecoslováquia	Bordeaux	Quartas	120	0	T
3	16/6/1938	1 x 2	Itália	Marselha	Semifinal	90	0	T
4	19/6/1938	4 x 2	Suécia	Marselha	Disputa 3º lugar	90	1	T

total **420** minutos e **3** Gols
Vitórias: 2 :: **Empate:** 1 :: **Derrota:** 1

PINGA (1954)

Nome: José Lázaro Robles
Nascimento: 11 de fevereiro de 1924
Local: São Paulo (SP)

Histórico na Copa

Nº	Data	Placar	Adversário	Local	Fase	M	G	T/R
1	16/6/1954	5 x 0	México	Genebra	Primeira	90	2	T
2	19/6/1954	1 x 1	Iugoslávia	Lausanne	Primeira	120	0	T

total **210** minutos e **2** Gols
Vitória: 1 :: **Empate:** 1 :: **Derrota:** 0

PINHEIRO (1954)

Nome: João Carlos Batista Pinheiro
Nascimento: 13 de janeiro de 1932
Local: Campos (RJ)

Histórico na Copa

Nº	Data	Placar	Adversário	Local	Fase	M	G	T/R
1	16/6/1954	5 x 0	México	Genebra	Primeira	90	0	T
2	19/6/1954	1 x 1	Iugoslávia	Lausanne	Primeira	120	0	T
3	27/6/1954	2 x 4	Hungria	Berna	Quartas	90	0	T

total **300** minutos e **0** Gol
Vitória: 1 :: **Empate:** 1 :: **Derrota:** 1

POLOZZI (1978)

Nome: José Fernando Polozzi
Nascimento: 1 de outubro de 1955
Local: Vinhedo (SP)

Histórico na Copa
Nunca jogou

POLY (1930)

Nome: Polycarpo Ribeiro de Oliveira
Nascimento: 26 de janeiro de 1909
Local: Conceição de Macabu (RJ)

Histórico na Copa

Nº	Data	Placar	Adversário	Local	Fase	M	G	T/R
1	14/7/1930	1 x 2	Iugoslávia	Montevidéu	Primeira	90	0	T

total **90** minutos e **0** Gol
Vitória: 0 :: **Empate:** 0 :: **Derrota:** 1

PREGUINHO (1930)

Nome: João Coelho Neto
Nascimento: 8 de fevereiro de 1905
Local: Rio de Janeiro (RJ)

Histórico na Copa

Nº	Data	Placar	Adversário	Local	Fase	M	G	T/R
1	14/7/1930	1 x 2	Iugoslávia	Montevidéu	Primeira	90	1	T
2	20/7/1930	4 x 0	Bolívia	Montevidéu	Primeira	90	2	T

total **180** minutos e **3** Gols
Vitória: 1 :: **Empate:** 0 :: **Derrota:** 1

RAÍ (1994)

Nome: Raí Souza Vieira de Oliveira
Nascimento: 15 de maio de 1965
Local: Ribeirão Preto (SP)

Histórico na Copa

Nº	Data	Placar	Adversário	Local	Fase	M	G	T/R
1	20/6/1994	2 x 0	Rússia	San Francisco	Primeira	90	1	T
2	24/6/1994	3 x 0	Camarões	San Francisco	Primeira	81	0	T
3	28/6/1994	1 x 1	Suécia	Detroit	Primeira	83	0	T
4	9/7/1994	3 x 2	Holanda	Dallas	Quartas	9	0	R
5	13/7/1994	1 x 0	Suécia	Los Angeles	Semifinal	45	0	R

total **308** minutos e **1** Gol
Vitórias: 4 :: **Empate:** 1 :: **Derrota:** 0

REINALDO (1978)

Nome: José Reinaldo de Lima
Nascimento: 11 de janeiro de 1957
Local: Ponte Nova (MG)

Histórico na Copa

Nº	Data	Placar	Adversário	Local	Fase	M	G	T/R
1	3/6/1978	1 x 1	Suécia	Mar del Plata	Primeira	90	1	T
2	7/6/1978	0 x 0	Espanha	Mar del Plata	Primeira	90	0	T
3	24/6/1978	2 x 1	Itália	Buenos Aires	Disputa 3º lugar	45	0	R

total **255** minutos e **1** Gol
Vitória: 1 :: **Empates:** 2 :: **Derrota:** 0

RENATO (1974)

Nome: Renato Cunha Vale
Nascimento: 5 de dezembro de 1941
Local: Rio de Janeiro (RJ)

Histórico na Copa
Nunca jogou

RENATO GAÚCHO (1990)

Nome: Renato Portaluppi
Nascimento: 9 de setembro de 1962
Local: Porto Alegre (RS)

Histórico na Copa

Nº	Data	Placar	Adversário	Local	Fase	M	G	T/R
1	24/6/1990	0 x 1	Argentina	Turim	Oitavas	6	0	R

total **6** minutos e **0** Gol
Vitória: 0 :: **Empate:** 0 :: **Derrota:** 1

RENATO (1982)

Nome: Carlos Renato Frederico
Nascimento: 21 de fevereiro de 1957
Local: Morungaba (SP)

Histórico na Copa
Nunca jogou

RICARDINHO (2002/2006)

Nome: Ricardo Luís Pozzi Rodrigues
Nascimento: 23 de maio de 1976
Local: São Paulo (SP)

Histórico nas Copas

Nº	Data	Placar	Adversário	Local	Fase	M	G	T/R
1	8/6/2002	4 x 0	China	Seogwipo	Primeira	20	0	R
2	13/6/2002	5 x 2	Costa Rica	Suwon	Primeira	29	0	R
3	17/6/2002	2 x 0	Bélgica	Kobe	Oitavas	1	0	R
4	22/6/2006	4 x 1	Japão	Dortmund	Primeira	29	0	R
5	27/6/2006	3 x 0	Gana	Dortmund	Oitavas	7	0	R

total **86** minutos e **0** Gol
Vitórias: 5 :: **Empate:** 0 :: **Derrota:** 0

RICARDO GOMES (1990)

Nome: Ricardo Gomes Raymundo
Nascimento: 13/12/1964
Local: Rio de Janeiro (RJ)

Histórico na Copa

Nº	Data	Placar	Adversário	Local	Fase	M	G	T/R
1	10/6/1990	2 x 1	Suécia	Turim	Primeira	90	0	T
2	16/6/1990	1 x 0	Costa Rica	Turim	Primeira	90	0	T
3	20/6/1990	1 x 0	Escócia	Turim	Primeira	90	0	T
4	24/6/1990	0 x 1	Argentina	Turim	Oitavas	85	0	T

total **355** minutos e **0** Gol
Vitórias: 3 :: **Empate:** 0 :: **Derrota:** 1

RICARDO ROCHA (1990/1994)

Nome: Ricardo Roberto Barreto da Rocha
Nascimento: 17 de setembro de 1962
Local: Recife (PE)

Histórico nas Copas

Nº	Data	Placar	Adversário	Local	Fase	M	G	T/R
1	20/6/1990	1 x 0	Escócia	Turim	Primeira	90	0	T
2	24/6/1990	0 x 1	Argentina	Turim	Oitavas	90	0	T
3	20/6/1994	2 x 0	Rússia	San Francisco	Primeira	69	0	T

total **249** minutos e **0** Gol
Vitórias: 2 :: **Empate:** 0 :: **Derrota:** 1

RILDO (1966)

Nome: Rildo da Costa Menezes
Nascimento: 23 de dezembro de 1942
Local: Recife (PE)

Histórico na Copa

Nº	Data	Placar	Adversário	Local	Fase	M	G	T/R
1	19/7/1966	1 x 3	Portugal	Liverpool	Primeira	90	1	T

total **90** minutos e **1** Gol
Vitória: 0 :: **Empate:** 0 :: **Derrota:** 1

RIVALDO (1998/2002)

Nome: Rivaldo Vitor Borba Ferreira
Nascimento: 19 de abril de 1972
Local: Recife (PE)

Histórico na Copa

Nº	Data	Placar	Adversário	Local	Fase	M	G	T/R
1	10/6/1998	2 x 1	Escócia	Saint-Denis	Primeira	90	0	T
2	16/6/1998	3 x 0	Marrocos	Nantes	Primeira	87	1	T
3	23/6/1998	1 x 2	Noruega	Marselha	Primeira	90	0	T
4	27/6/1998	4 x 1	Chile	Paris	Oitavas	90	0	T
5	3/7/1998	3 x 2	Dinamarca	Nantes	Quartas	87	2	T
6	7/7/1998	1 x 1	Holanda	Marselha	Semifinal	120	0	T

Nos pênaltis: Brasil 4 x 2

Nº	Data	Placar	Adversário	Local	Fase	M	G	T/R
7	12/7/1998	0 x 3	França	Saint-Denis	Final	90	0	T
8	3/6/2002	2 x 1	Turquia	Ulsan	Primeira	90	1	T
9	8/6/2002	4 x 0	China	Seogwipo	Primeira	90	1	T
10	13/6/2002	5 x 2	Costa Rica	Suwon	Primeira	72	1	T
11	17/6/2002	2 x 0	Bélgica	Kobe	Oitavas	90	1	T
12	21/6/2002	2 x 1	Inglaterra	Shizuoka	Quartas	90	1	T
13	26/6/2002	1 x 0	Turquia	Saitama	Semifinal	90	0	T
14	30/6/2002	2 x 0	Alemanha	Yokohama	Final	90	0	T

total **1.266** minutos e **8** Gols
Vitórias: 11 :: **Empate:** 1 :: **Derrotas:** 2

RIVELLINO (1970/1974/1978)

Nome: Roberto Rivellino
Nascimento: 1 de janeiro de 1946
Local: São Paulo (SP)

Histórico na Copa

Nº	Data	Placar	Adversário	Local	Fase	M	G	T/R
1	3/6/1970	4 x 1	Tchecoslováquia	Guadalajara	Primeira	90	1	T
2	7/6/1970	1 x 0	Inglaterra	Guadalajara	Primeira	90	0	T
3	14/6/1970	4 x 2	Peru	Guadalajara	Quartas	90	1	T
4	17/6/1970	3 x 1	Uruguai	Guadalajara	Semifinal	90	1	T
5	21/6/1970	4 x 1	Itália	Cidade do México	Final	90	0	T
6	13/6/1974	0 x 0	Iugoslávia	Frankfurt	Primeira	90	0	T
7	18/6/1974	0 x 0	Escócia	Frankfurt	Primeira	90	0	T
8	22/6/1974	3 x 0	Zaire	Gelsenkirchen	Primeira	90	1	T
9	26/6/1974	1 x 0	Alemanha Or.	Hanover	Semifinal	90	1	T
10	30/6/1974	2 x 1	Argentina	Hanover	Semifinal	90	1	T
11	3/7/1974	0 x 2	Holanda	Dortmund	Semifinal	90	0	T
12	6/7/1974	0 x 1	Polônia	Munique	Disputa 3º lugar	90	0	T
13	3/6/1978	1 x 1	Suécia	Mar del Plata	Primeira	90	0	T
14	21/6/1978	3 x 1	Polônia	Mendoza	Semifinal	13	0	R
15	24/6/1978	2 x 1	Itália	Buenos Aires	Disputa 3º lugar	26	0	R

total **1.209** minutos e **6** Gols
Vitórias: 10 :: **Empates:** 3 :: **Derrotas:** 2

ROBERTO (1938)

Nome: Roberto Emílio da Cunha
Nascimento: 20 de junho de 1912
Local: Niterói (RJ)

Histórico na Copa

Nº	Data	Placar	Adversário	Local	Fase	M	G	T/R
1	14/6/1938	2 x 1	Tchecoslováquia	Bordeaux	Quartas	90	1	T
2	19/6/1938	4 x 2	Suécia	Bordeaux	Disputa 3º lugar	90	0	T

total **180** minutos e **1** Gol
Vitórias: 2 :: **Empate:** 0 :: **Derrota:** 0

ROBERTO CARLOS (1998/2002/2006)

Nome: Roberto Carlos da Silva
Nascimento: 10 de abril de 1973
Local: Garça (SP)

Histórico na Copa

Nº	Data	Placar	Adversário	Local	Fase	M	G	T/R
1	10/6/1998	2 x 1	Escócia	Saint-Denis	Primeira	90	0	T
2	16/6/1998	3 x 0	Marrocos	Nantes	Primeira	90	0	T
3	23/6/1998	1 x 2	Noruega	Marselha	Primeira	90	0	T
4	27/6/1998	4 x 1	Chile	Paris	Oitavas	90	0	T
5	3/7/1998	3 x 2	Dinamarca	Nantes	Quartas	90	0	T
6	7/7/1998	1 x 1	Holanda	Marselha	Semifinal	120	0	T

Nos pênaltis: Brasil 4 x 2

7	12/7/1998	0 x 3	França	Saint-Denis	Final	90	0	T
8	3/6/2002	2 x 1	Turquia	Ulsan	Primeira	90	0	T
9	8/6/2002	4 x 0	China	Seogwipo	Primeira	90	1	T
10	17/6/2002	2 x 0	Bélgica	Kobe	Oitavas	90	0	T
11	21/6/2002	2 x 1	Inglaterra	Shizuoka	Quartas	90	0	T
12	26/6/2002	1 x 0	Turquia	Saitama	Semifinal	90	0	T
13	30/6/2002	2 x 0	Alemanha	Yokohama	Final	90	0	T
14	13/6/2006	1 x 0	Croácia	Berlim	Primeira	90	0	T
15	18/6/2006	2 x 0	Austrália	Munique	Primeira	90	0	T
16	27/6/2006	3 x 0	Gana	Dortmund	Oitavas	90	0	T
17	1/7/2006	0 x 1	França	Frankfurt	Quartas	90	0	T

total **1.560** minutos e **1** Gol
Vitórias: 13 :: **Empate:** 1 :: **Derrotas:** 3

ROBERTO DINAMITE (1978/1982)

Nome: Carlos Roberto de Oliveira
Nascimento: 13 de abril de 1954
Local: Duque de Caxias (RJ)

Histórico na Copa

Nº	Data	Placar	Adversário	Local	Fase	M	G	T/R
1	11/6/1978	1 x 0	Áustria	Mar del Plata	Primeira	90	1	T
2	14/6/1978	3 x 0	Peru	Mendoza	Semifinal	90	0	T
3	18/6/1978	0 x 0	Argentina	Rosário	Semifinal	90	0	T
4	21/6/1978	3 x 1	Polônia	Mendoza	Semifinal	90	2	T
5	24/6/1978	2 x 1	Itália	Buenos Aires	Disputa 3º lugar	90	0	T

total **450** minutos e **3** Gols
Vitórias: 4 :: **Empate:** 1 :: **Derrota:** 0

ROBERTO MIRANDA (1970)

Nome: Roberto Lopes de Miranda
Nascimento: 31 de julho de 1944
Local: São Gonçalo (RJ)

Histórico na Copa

Nº	Data	Placar	Adversário	Local	Fase	M	G	T/R
1	7/6/1970	1 x 0	Inglaterra	Guadalajara	Primeira	22	0	R
2	14/6/1970	4 x 2	Peru	Guadalajara	Quartas	10	0	R

total **32** minutos e **0** Gol
Vitórias: 2 :: **Empate:** 0 :: **Derrota:** 0

ROBINHO (2006)

Nome: Robson de Souza
Nascimento: 25 de janeiro de 1984
Local: São Vicente (SP)

Histórico na Copa

Nº	Data	Placar	Adversário	Local	Fase	M	G	T/R
1	13/6/2006	1 x 0	Croácia	Berlim	Primeira	21	0	R
2	18/6/2006	2 x 0	Austrália	Munique	Primeira	18	0	R
3	22/6/2006	4 x 1	Japão	Dortmund	Primeira	90	0	T
4	1/7/2006	0 x 1	França	Frankfurt	Quartas	11	0	R

total **140** minutos e **0** Gol
Vitórias: 3 :: **Empate:** 0 :: **Derrota:** 1

RODRIGUES (1950/1954)

Nome: Francisco Rodrigues
Nascimento: 27 de junho de 1928
Local: São Paulo (SP)

Histórico na Copa

Nº	Data	Placar	Adversário	Local	Fase	M	G	T/R
1	16/6/1954	5 x 0	México	Genebra	Primeira	90	0	T
2	19/6/1954	1 x 1	Iugoslávia	Lausanne	Primeira	120	0	T

total **210** minutos e **0** Gol
Vitória: 1 :: **Empate:** 1 :: **Derrota:** 0

RODRIGUES NETO (1978)

Nome: José Rodrigues Neto
Nascimento: 1º de dezembro de 1949
Local: Central de Minas (MG)

Histórico na Copa

Nº	Data	Placar	Adversário	Local	Fase	M	G	T/R
1	11/6/1978	1 x 0	Áustria	Mar del Plata	Primeira	90	0	T
2	14/6/1978	3 x 0	Peru	Mendoza	Semifinal	90	0	T
3	18/6/1978	0 x 0	Argentina	Rosário	Semifinal	34	0	T
4	24/6/1978	2 x 1	Itália	Buenos Aires	Disputa 3º lugar	90	0	T

total **304** minutos e **0** Gol
Vitórias: 3 :: **Empate:** 1 :: **Derrota:** 0

ROGÉRIO CENI (2002/2006)

Nome: Rogério Ceni
Nascimento: 22 de janeiro de 1973
Local: Pato Branco (PR)

Histórico na Copa

Nº	Data	Placar	Adversário	Local	Fase	M	G	T/R
1	22/6/2006	4 x 1	Japão	Dortmund	Primeira	8	(0)	R

total **8** minutos e **(0)** Gols
Vitória: 1 :: **Empate:** 0 :: **Derrota:** 0

ROMÁRIO (1990/1994)

Nome: Romário de Souza Faria
Nascimento: 29 de janeiro de 1966
Local: Rio de Janeiro (RJ)

Histórico nas Copas

Nº	Data	Placar	Adversário	Local	Fase	M	G	T/R
1	20/6/1990	1 x 0	Escócia	Turim	Primeira	65	0	T
2	20/6/1994	2 x 0	Rússia	San Francisco	Primeira	90	1	T
3	24/6/1994	3 x 0	Camarões	San Francisco	Primeira	90	1	T

4	28/6/1994	1 x 1	Suécia	Detroit	Primeira	90	1	T
5	4/7/1994	1 x 0	Estados Unidos	San Francisco	Oitavas	90	0	T
6	9/7/1994	3 x 2	Holanda	Dallas	Quartas	90	1	T
7	13/7/1994	1 x 0	Suécia	Los Angeles	Semifinal	90	1	T
8	17/7/1994	0 x 0	Itália	Los Angeles	Final	120	0	T

Nos pênaltis: Brasil 3 x 2

total **725** minutos e **5** Gols
Vitórias: 6 :: **Empates:** 2 :: **Derrota:** 0

ROMEU (1938)

Nome: Romeu Pellicciari
Nascimento: 26 de março de 1911
Local: São Paulo (SP)

Histórico na Copa

Nº	Data	Placar	Adversário	Local	Fase	M	G	T/R
1	5/6/1938	6 x 5	Polônia	Estrasburgo	Primeira	120	1	T
2	12/6/1938	1 x 1	Tchecoslováquia	Bordeaux	Quartas	120	0	T
3	16/6/1938	1 x 2	Itália	Marselha	Semifinal	90	1	T
4	19/6/1938	4 x 2	Suécia	Marselha	Disputa 3º lugar	90	1	T

total **420** minutos e **3** Gols
Vitórias: 2 :: **Empate:** 1 :: **Derrota:** 1

RONALDÃO (1994)

Nome: Ronaldo Rodrigues de Jesus
Nascimento: 19 de junho de 1965
Local: São Paulo (SP)

Histórico na Copa
Nunca jogou

RONALDINHO GAÚCHO (2002/2006)

Nome: Ronaldo de Assis Moreira
Nascimento: 21 de março de 1980
Local: Porto Alegre (RS)

Histórico nas Copas

Nº	Data	Placar	Adversário	Local	Fase	M	G	T/R
1	3/6/2002	2 x 1	Turquia	Ulsan	Primeira	67	0	T
2	8/6/2002	4 x 0	China	Seogwipo	Primeira	45	1	T
3	17/6/2002	2 x 0	Bélgica	Kobe	Oitavas	81	0	T
4	21/6/2002	2 x 1	Inglaterra	Shizuoka	Quartas	57	1	T
5	30/6/2002	2 x 0	Alemanha	Yokohama	Final	85	0	T
6	13/6/2006	1 x 0	Croácia	Berlim	Primeira	90	0	T
7	18/6/2006	2 x 0	Austrália	Munique	Primeira	90	0	T
8	22/6/2006	4 x 1	Japão	Dortmund	Primeira	71	0	T
9	27/6/2006	3 x 0	Gana	Dortmund	Oitavas	90	0	T
10	1/7/2006	0 x 1	França	Frankfurt	Quartas	90	0	T

total **766** minutos e **2** Gols
Vitórias: 9 :: **Empate:** 0 :: **Derrota:** 1

RONALDO (1994/1998/2002/2006)

Nome: Ronaldo Luiz Nazário de Lima
Nascimento: 22 de setembro de 1976
Local: Rio de Janeiro (RJ)

Histórico nas Copas

Nº	Data	Placar	Adversário	Local	Fase	M	G	T/R
1	10/6/1998	2 x 1	Escócia	Saint-Denis	Primeira	90	0	T
2	16/6/1998	3 x 0	Marrocos	Nantes	Primeira	90	1	T
3	23/6/1998	1 x 2	Noruega	Marselha	Primeira	90	0	T
4	27/6/1998	4 x 1	Chile	Paris	Oitavas	90	2	T
5	3/7/1998	3 x 2	Dinamarca	Nantes	Quartas	90	0	T
6	7/7/1998	1 x 1	Holanda	Marselha	Semifinal	120	1	T

Nos pênaltis: Brasil 4 x 2

7	12/7/1998	0 x 3	França	Saint-Denis	Final	90	0	T
8	3/6/2002	2 x 1	Turquia	Ulsan	Primeira	73	1	T
9	8/6/2002	4 x 0	China	Seogwipo	Primeira	72	1	T
10	13/6/2002	5 x 2	Costa Rica	Suwon	Primeira	90	2	T
11	17/6/2002	2 x 0	Bélgica	Kobe	Oitavas	90	1	T
12	21/6/2002	2 x 1	Inglaterra	Shizuoka	Quartas	70	0	T
13	26/6/2002	1 x 0	Turquia	Saitama	Semifinal	68	1	T
14	30/6/2002	2 x 0	Alemanha	Yokohama	Final	90	2	T
15	13/6/2006	1 x 0	Croácia	Berlim	Primeira	69	0	T
16	18/6/2006	2 x 0	Austrália	Munique	Primeira	72	0	T
17	22/6/2006	4 x 1	Japão	Dortmund	Primeira	90	2	T
18	27/6/2006	3 x 0	Gana	Dortmund	Oitavas	90	1	T
19	1/7/2006	0 x 1	França	Frankfurt	Quartas	90	0	T

total **1.624** minutos e **15** Gols
Vitórias: 15 :: **Empate:** 1 :: **Derrotas:** 3

ROQUE JÚNIOR (2002)
Nome: José Vitor Roque Júnior
Nascimento: 14 de março de 1970
Local: Santa Rita do Sapucaí (MG)

Histórico na Copa

Nº	Data	Placar	Adversário	Local	Fase	M	G	T/R
1	3/6/2002	2 x 1	Turquia	Ulsan	Primeira	90	0	T
2	8/6/2002	4 x 0	China	Seogwipo	Primeira	90	0	T
3	17/6/2002	2 x 0	Bélgica	Kobe	Oitavas	90	0	T
4	21/6/2002	2 x 1	Inglaterra	Shizuoka	Quartas	90	0	T
5	26/6/2002	1 x 0	Turquia	Saitama	Semifinal	90	0	T
6	30/6/2002	2 x 0	Alemanha	Yokohama	Final	90	0	T

total **540** minutos e **0** Gol
Vitórias: 6 :: **Empate:** 0 :: **Derrota:** 0

RUBENS (1954)
Nome: Rubens Josué da Costa
Nascimento: 24 de novembro de 1928
Local: São Paulo (SP)

Histórico na Copa
Nunca jogou

RUSSINHO (1930)

Nome: Moacyr Siqueira de Queiroz
Nascimento: 18 de dezembro de 1902
Local: Rio de Janeiro (RJ)

Histórico na Copa

Nº	Data	Placar	Adversário	Local	Fase	M	G	T/R
1	20/7/1930	4 x 0	Bolívia	Montevidéu	Primeira	90	0	T

total **90** minutos e **0** Gol
Vitória: 1 :: **Empate:** 0 :: **Derrota:** 0

RUY (1950)

Nome: Ruy Campos
Nascimento: 2 de fevereiro de 1922
Local: São Paulo (SP)

Histórico na Copa

Nº	Data	Placar	Adversário	Local	Fase	M	G	T/R
1	28/6/1950	2 x 2	Suíça	Pacaembu	Primeira	90	0	T

total **90** minutos e **0** Gol
Vitória: 0 :: **Empate:** 1 :: **Derrota:** 0

SERGINHO CHULAPA (1982)

Nome: Sérgio Bernardino
Nascimento: 23 de dezembro de 1953
Local: São Paulo (SP)

Histórico na Copa

Nº	Data	Placar	Adversário	Local	Fase	M	G	T/R
1	14/6/1982	2 x 1	União Soviética	Sevilha	Primeira	90	0	T
2	18/6/1982	4 x 1	Escócia	Sevilha	Primeira	80	0	T
3	23/6/1982	4 x 0	Nova Zelândia	Sevilha	Primeira	75	1	T
4	2/7/1982	3 x 1	Argentina	Barcelona	Quartas	90	1	T
5	5/7/1982	2 x 3	Itália	Barcelona	Quartas	69	0	T

total **404** minutos e **2** Gols
Vitórias: 4 :: **Empate:** 0 :: **Derrota:** 1

SILAS (1986/1990)

Nome: Paulo Silas do Prado Pereira
Nascimento: 27 de agosto de 1965
Local: Campinas (SP)

Histórico nas Copas

Nº	Data	Placar	Adversário	Local	Fase	M	G	T/R
1	16/6/1986	4 x 0	Polônia	Guadalajara	Oitavas	17	0	R
2	21/6/1986	1 x 1	França	Guadalajara	Quartas	29	0	R

Nos pênaltis: França 4 x 3

	10/6/1990	2 x 1	Suécia	Turim	Primeira	8	0	R
4	16/6/1990	1 x 0	Costa Rica	Turim	Primeira	4	0	R
5	24/6/1990	0 x 1	Argentina	Turim	Oitavas	7	0	R

total **65** minutos e **0** Gol
Vitórias: 3 :: **Empate:** 1 :: **Derrota:** 1

SILVA (1966)

Nome: Walter Machado da Silva
Nascimento: 2 de janeiro de 1940
Local: Ribeirão Preto (SP)

Histórico na Copa

Nº	Data	Placar	Adversário	Local	Fase	M	G	T/R
1	19/7/1966	1 x 3	Portugal	Liverpool	Primeira	90	0	T

total **90** minutos e **0** Gol
Vitória: 0 :: **Empate:** 0 :: **Derrota:** 1

SÓCRATES (1982/1986)

Nome: Sócrates Brasileiro de Sousa Vieira de Oliveira
Nascimento: 19 de fevereiro de 1954
Local: Belém (PA)

Histórico nas Copas

Nº	Data	Placar	Adversário	Local	Fase	M	G	T/R
1	14/6/1982	2 x 1	União Soviética	Sevilha	Primeira	90	1	T
2	18/6/1982	4 x 1	Escócia	Sevilha	Primeira	90	0	T
3	23/6/1982	4 x 0	Nova Zelândia	Sevilha	Primeira	90	0	T
4	2/7/1982	3 x 1	Argentina	Barcelona	Quartas	90	0	T
5	5/7/1982	2 x 3	Itália	Barcelona	Quartas	90	1	T
6	1/6/1986	1 x 0	Espanha	Guadalajara	Primeira	90	1	T
7	6/6/1986	1 x 0	Argélia	Guadalajara	Primeira	90	0	T
8	12/6/1986	3 x 0	Irlanda do Norte	Guadalajara	Primeira	68	0	T
9	16/6/1986	4 x 0	Polônia	Guadalajara	Oitavas	69	1	T
10	21/6/1986	1 x 1	França	Guadalajara	Quartas	120	0	T

Nos pênaltis: França 4 x 3

total **887** minutos e **4** Gols
Vitórias: 8 :: **Empate:** 1 :: **Derrota:** 1

SYLVIO HOFFMANN (1934)

Nome: Sylvio Hoffmann Mazzi
Nascimento: 11 de maio de 1908
Local: Rio de Janeiro (RJ)

Histórico na Copa

Nº	Data	Placar	Adversário	Local	Fase	M	G	T/R
1	27/5/1934	1 x 3	Espanha	Gênova	Primeira	90	0	T

total **90** minutos e **0** Gol
Vitória: 0 :: **Empate:** 0 :: **Derrota:** 1

TAFFAREL (1990/1994/1998)

Nome: Cláudio André Mergen Taffarel
Nascimento: 8 de maio de 1966
Local: Santa Rosa (RS)

Histórico nas Copas

Nº	Data	Placar	Adversário	Local	Fase	M	G	T/R
1	10/6/1990	2 x 1	Suécia	Turim	Primeira	90	(1)	T
2	16/6/1990	1 x 0	Costa Rica	Turim	Primeira	90	(0)	T
3	20/6/1990	1 x 0	Escócia	Turim	Primeira	90	(0)	T
4	24/6/1990	0 x 1	Argentina	Turim	Oitavas	90	(1)	T
5	20/6/1994	2 x 0	Rússia	San Francisco	Primeira	90	(0)	T
6	24/6/1994	3 x 0	Camarões	San Francisco	Primeira	90	(0)	T
7	28/6/1994	1 x 1	Suécia	Detroit	Primeira	90	(1)	T
8	4/7/1994	1 x 0	Estados Unidos	San Francisco	Oitavas	90	(0)	T
9	9/7/1994	3 x 2	Holanda	Dallas	Quartas	90	(2)	T
10	13/7/1994	1 x 0	Suécia	Los Angeles	Semifinal	90	(0)	T
11	17/7/1994	0 x 0	Itália	Los Angeles	Final	120	(0)	T

Nos pênaltis: Brasil 3 x 2

12	10/6/1998	2 x 1	Escócia	Saint-Denis	Primeira	90	(1)	T
13	16/6/1998	3 x 0	Marrocos	Nantes	Primeira	90	(0)	T
14	23/6/1998	1 x 2	Noruega	Marselha	Primeira	90	(2)	T
15	27/6/1998	4 x 1	Chile	Paris	Oitavas	90	(1)	T
16	3/7/1998	3 x 2	Dinamarca	Nantes	Quartas	90	(2)	T
17	7/7/1998	1 x 1	Holanda	Marselha	Semifinal	120	(1)	T

Nos pênaltis: Brasil 4 x 2

18	12/7/1998	0 x 3	França	Saint-Denis	Final	90	(3)	T

total **1.680** minutos e **(15)** Gols
Vitórias: 12 :: **Empates:** 3 :: **Derrotas:** 3

THEÓPHILO (1930)

Nome: Theóphilo Bettencourt Pereira
Nascimento: 11 de abril de 1900
Local: Rio de Janeiro (RJ)

Histórico na Copa

Nº	Data	Placar	Adversário	Local	Fase	M	G	T/R
1	14/7/1930	1 x 2	Iugoslávia	Montevidéu	Primeira	90	0	T

total **90** minutos e **0** Gol
Vitória: 0 :: **Empate:** 0 :: **Derrota:** 1

TIM (1938)

Nome: Elba de Pádua Lima
Nascimento: 20 de dezembro e 1915
Local: Rifânia (SP)

Histórico na Copa

Nº	Data	Placar	Adversário	Local	Fase	M	G	T/R
1	14/6/1938	2 x 1	Tchecoslováquia	Bordeaux	Quartas	90	0	T

total **90** minutos e **0** Gol
Vitória: 1 :: **Empate:** 0 :: **Derrota:** 0

TINOCO (1934)

Nome: Alfredo Alves Tinoco
Nascimento: 2 de dezembro de 1904
Local: Rio de Janeiro (RJ)

Histórico na Copa

Nº	Data	Placar	Adversário	Local	Fase	M	G	T/R
1	27/5/1934	1 x 3	Espanha	Gênova	Primeira	90	0	T

total **90** minutos e **0** Gol
Vitória: 0 :: **Empate:** 0 :: **Derrota:** 1

TITA (1990)

Nome: Milton Queiroz da Paixão
Nascimento: 1º de abril de 1958
Local: Rio de Janeiro (RJ)

Histórico na Copa
Nunca jogou

TONINHO (1978)

Nome: Antônio Dias dos Santos
Nascimento: 7 de junho de 1948
Local: Vera Cruz (BA)

Histórico na Copa

Nº	Data	Placar	Adversário	Local	Fase	M	G	T/R
1	3/6/1978	1 x 1	Suécia	Mar del Plata	Primeira	90	0	T
2	7/6/1978	0 x 0	Espanha	Mar del Plata	Primeira	90	0	T
3	11/6/1978	1 x 0	Áustria	Mar del Plata	Primeira	90	0	T
4	14/6/1978	3 x 0	Peru	Mendoza	Semifinal	76	0	T
5	18/6/1978	0 x 0	Argentina	Rosário	Semifinal	90	0	T
6	21/6/1978	3 x 1	Polônia	Mendoza	Semifinal	90	0	T

total **526** minutos e **0** Gol
Vitórias: 3 :: **Empates:** 3 :: **Derrota:** 0

TONINHO CEREZO (1978/1982)

Nome: Antônio Carlos Cerezo
Nascimento: 21 de abril de 1956
Local: Belo Horizonte (MG)

Histórico na Copa

Nº	Data	Placar	Adversário	Local	Fase	M	G	T/R
1	3/6/1978	1 x 1	Suécia	Mar del Plata	Primeira	80	0	T
2	7/6/1978	0 x 0	Espanha	Mar del Plata	Primeira	90	0	T
3	11/6/1978	1 x 0	Áustria	Mar del Plata	Primeira	71	0	T
4	14/6/1978	3 x 0	Peru	Mendoza	Semifinal	90	0	T
5	21/6/1978	3 x 1	Polônia	Mendoza	Semifinal	77	0	T
6	24/6/1978	2 x 1	Itália	Buenos Aires	Disputa 3º lugar	64	0	T
7	18/6/1982	4 x 1	Escócia	Sevilha	Primeira	90	0	T
8	23/6/1982	4 x 0	Nova Zelândia	Sevilha	Primeira	90	0	T
9	2/7/1982	3 x 1	Argentina	Barcelona	Quartas	90	0	T
10	5/7/1982	2 x 3	Itália	Barcelona	Quartas	90	0	T

total **832** minutos e **0** Gol
Vitórias: 7 :: **Empates:** 2 :: **Derrota:** 1

TOSTÃO (1966/1970)

Nome: Eduardo Gonçalves de Andrade
Nascimento: 25 de janeiro de 1947
Local: Belo Horizonte (MG)

Histórico nas Copas

Nº	Data	Placar	Adversário	Local	Fase	M	G	T/R
1	15/7/1966	1 x 3	Hungria	Liverpool	Primeira	90	1	T
2	3/6/1970	4 x 1	Tchecoslováquia	Guadalajara	Primeira	90	0	T
3	7/6/1970	1 x 0	Inglaterra	Guadalajara	Primeira	68	0	T
4	10/6/1970	3 x 2	Romênia	Guadalajara	Primeira	90	0	T
5	14/6/1970	4 x 2	Peru	Guadalajara	Quartas	80	2	T
6	17/6/1970	3 x 1	Uruguai	Guadalajara	Semifinal	90	0	T
7	21/6/1970	4 x 1	Itália	Cidade do México	Final	90	0	T

total **598** minutos e **3** Gols
Vitórias: 6 :: **Empate:** 0 :: **Derrota:** 1

VALDO (1986/1990)

Nome: Valdo Cândido Filho
Nascimento: 12 de fevereiro de 1964
Local: Siderópolis (SC)

Histórico na Copa

Nº	Data	Placar	Adversário	Local	Fase	M	G	T/R
1	10/6/1990	2 x 1	Suécia	Turim	Primeira	82	0	T
2	16/6/1990	1 x 0	Costa Rica	Turim	Primeira	86	0	T
3	20/6/1990	1 x 0	Escócia	Turim	Primeira	90	0	T
4	24/6/1990	0 x 1	Argentina	Turim	Oitavas	90	0	T

total **348** minutos e **0** Gol
Vitórias: 3 :: **Empate:** 0 :: **Derrota:** 1

VALDOMIRO (1974)

Nome: Valdomiro Vaz Franco
Nascimento: 17 de fevereiro de 1946
Local: Criciúma (SC)

Histórico na Copa

Nº	Data	Placar	Adversário	Local	Fase	M	G	T/R
1	13/6/1974	0 x 0	Iugoslávia	Frankfurt	Primeira	90	0	T
2	22/6/1974	3 x 0	Zaire	Gelsenkirchen	Primeira	71	1	R
3	26/6/1974	1 x 0	Alemanha Or.	Hanover	Semifinal	90	0	T
4	30/6/1974	2 x 1	Argentina	Hanover	Semifinal	90	0	T
5	3/7/1974	0 x 2	Holanda	Dortmund	Semifinal	90	0	T
6	6/7/1974	0 x 1	Polônia	Munique	Disputa 3º lugar	90	0	T

total **521** minutos e **1** Gol
Vitórias: 3 :: **Empate:** 1 :: **Derrotas:** 2

VAMPETA (2002)

Nome: Marcos André Batista Santos
Nascimento: 13 de março de 1974
Local: Nazaré das Farinhas (BA)

Histórico na Copa

Nº	Data	Placar	Adversário	Local	Fase	M	G	T/R
1	3/6/2002	2 x 1	Turquia	Ulsan	Primeira	18	0	R

total **18** minutos e **0** Gol
Vitória: 1 :: **Empate:** 0 :: **Derrota:** 0

VAVÁ (1958/1962)

Nome: Edvaldo Izídio Neto
Nascimento: 12 de novembro de 1934
Local: Recife (PE)

Histórico na Copa

Nº	Data	Placar	Adversário	Local	Fase	M	G	T/R
1	11/6/1958	0 x 0	Inglaterra	Gotemburgo	Primeira	90	0	T
2	15/6/1958	2 x 0	União Soviética	Gotemburgo	Primeira	90	2	T
3	24/6/1958	5 x 2	França	Estocolmo	Semifinal	90	1	T
4	29/6/1958	5 x 2	Suécia	Estocolmo	Final	90	2	T
5	30/5/1962	2 x 0	México	Viña del Mar	Primeia	90	0	T
6	2/6/1962	0 x 0	Tchecoslováquia	Viña del Mar	Primeira	90	0	T
7	6/6/1962	2 x 1	Espanha	Viña del Mar	Primeira	90	0	T
8	10/6/1962	3 x 1	Inglaterra	Viña del Mar	Quartas	90	1	T
9	13/6/1962	4 x 2	Chile	Santiago	Semifinal	90	2	T
10	17/6/1962	3 x 1	Tchecoslováquia	Santiago	Final	90	1	T

total **900** minutos e **9** Gols
Vitórias: 8 :: **Empates:** 2 :: **Derrota:** 0

VELLOSO (1930)

Nome: Osvaldo de Barros Velloso
Nascimento: 28 de maio de 1905
Local: Corumbá (MS)

Histórico na Copa

Nº	Data	Placar	Adversário	Local	Fase	M	G	T/R
1	20/7/1930	4 x 0	Bolívia	Montevidéu	Primeira	90	(0)	T

total **90** minutos e **(0)** Gols
Vitória: 1 :: **Empate:** 0 :: **Derrota:** 0

VELUDO (1954)

Nome: Caetano da Silva
Nascimento: 7 de agosto de 1930
Local: Rio de Janeiro (RJ)

Histórico na Copa
Nunca jogou

VIOLA (1994)

Nome: Paulo Sérgio Rosa
Nascimento: 1 de janeiro de 1970
Local: São Paulo (SP)

Histórico na Copa

Nº	Data	Placar	Adversário	Local	Fase	M	G	T/R
1	17/7/1994	0 x 0	Itália	Los Angeles	Final	24	0	R

Nos pênaltis: Brasil 3 x 2

total **24** minutos e **0** Gol
Vitória: 0 :: **Empate:** 1 :: **Derrota:** 0

WALDEMAR DE BRITTO (1934)

Nome: Waldemar de Britto
Nascimento: 17 de maio de 1913
Local: São Paulo (SP)

Histórico na Copa

Nº	Data	Placar	Adversário	Local	Fase	M	G	T/R
1	27/5/1934	1 x 3	Espanha	Gênova	Primeira	90	0	T

total **90** minutos e **0** Gol
Vitória: 0 :: **Empate:** 0 :: **Derrota:** 1

WALDIR PERES (1974/1978/1982)

Nome: Waldir Peres Arruda
Nascimento: 2 de fevereiro de 1951
Local: Garça (SP)

Histórico nas Copas

Nº	Data	Placar	Adversário	Local	Fase	M	G	T/R
1	14/6/1982	2 x 1	União Soviética	Sevilha	Primeira	90	(1)	T
2	18/6/1982	4 x 1	Escócia	Sevilha	Primeira	90	(1)	T
3	23/6/1982	4 x 0	Nova Zelândia	Sevilha	Primeira	90	0	T
4	2/7/1982	3 x 1	Argentina	Barcelona	Quartas	90	(1)	T
5	5/7/1982	2 x 3	Itália	Barcelona	Quartas	90	(3)	T

total **540** minutos e **(6)** Gols
Vitórias: 4 :: **Empate:** 0 :: **Derrota:** 1

WALDYR (1934)

Nome: Walter Guimarães
Nascimento: 21 de março de 1912
Local: Rio de Janeiro (RJ)

Histórico na Copa
Nunca jogou

WALTER GOULART (1938)

Nome: Walter de Souza Goulart
Nascimento: 17 de julho de 1912
Local: Rio de Janeiro (RJ)

Histórico na Copa

Nº	Data	Placar	Adversário	Local	Fase	M	G	T/R
1	12/6/1938	1 x 1	Tchecoslováquia	Bordeaux	Quartas	120	(1)	T
2	14/6/1938	2 x 1	Tchecoslováquia	Bordeaux	Quartas	90	(1)	T
3	16/6/1938	1 x 2	Itália	Marselha	Semifinal	90	(2)	T

total **300** minutos e **(4)** Gols
Vitória: 1 :: **Empate:** 1 :: **Derrota:** 1

WILSON PIAZZA (1970/1974)

Nome: Wilson da Silva Piazza
Nascimento: 25 de fevereiro de 1943
Local: Ribeirão das Neves (MG)

Histórico na Copa

Nº	Data	Placar	Adversário	Local	Fase	M	G	T/R
1	3/6/1970	4 x 1	Tchecoslováquia	Guadalajara	Primeira	90	0	T
2	7/6/1970	1 x 0	Inglaterra	Guadalajara	Primeira	90	0	T
3	10/6/1970	3 x 2	Romênia	Guadalajara	Primeira	90	0	T
4	14/6/1970	4 x 2	Peru	Guadalajara	Quartas	90	0	T
5	17/6/1970	3 x 1	Uruguai	Guadalajara	Semifinal	90	0	T
6	21/6/1970	4 x 1	Itália	Cidade do México	Final	90	0	T
7	13/6/1974	0 x 0	Iugoslávia	Frankfurt	Primeira	90	0	T
8	18/6/1974	0 x 0	Escócia	Frankfurt	Primeira	90	0	T
9	22/6/1974	3 x 0	Zaire	Gelsenkirchen	Primeira	70	0	T

total **790** minutos e **0** Gol
Vitórias: 7 :: **Empate:** 2 :: **Derrota:** 0

ZAGALLO (1958/1962)

Nome: Mário Jorge Lobo Zagallo
Nascimento: 9 de agosto de 1931
Local: Maceió (AL)

Histórico na Copa

Nº	Data	Placar	Adversário	Local	Fase	M	G	T/R
1	8/6/1958	3 x 0	Áustria	Udevalla	Primeira	90	0	T
2	11/6/1958	0 x 0	Inglaterra	Gotemburgo	Primeira	90	0	T
3	15/6/1958	2 x 0	União Soviética	Gotemburgo	Primeira	90	0	T
4	19/6/1958	1 x 0	País de Galas	Gotemburgo	Quartas	90	0	T
5	24/6/1958	5 x 2	Suécia	Estocolmo	Semifinal	90	1	T
6	29/6/1958	5 x 2	França	Estocolmo	Final	90	0	T
7	30/5/1962	2 x 0	México	Viña del Mar	Primeira	90	1	T
8	2/6/1962	0 x 0	Tchecoslováquia	Viña del Mar	Primeira	90	0	T
9	6/6/1962	2 x 1	Espanha	Viña del Mar	Primeira	90	0	T
10	10/6/1962	3 x 1	Inglaterra	Viña del Mar	Quartas	90	0	T
11	13/6/1962	4 x 2	Chile	Santiago	Semifinal	90	0	T
12	17/6/1962	3 x 1	Tchecoslováquia	Santiago	Primeira	90	0	T

total **1080** minutos e **2** Gols
Vitórias: 10 :: **Empates:** 2 :: **Derrota:** 0

ZÉ CARLOS (1990)

Nome: José Carlos da Costa Araújo
Nascimento: 7 de fevereiro de 1962
Local: Rio de Janeiro (RJ)

Histórico na Copa
Nunca jogou

ZÉ CARLOS (1998)

Nome: José Carlos de Almeida
Nascimento: 30 de novembro de 1968
Local: Presidente Bernardes (SP)

Histórico na Copa

Nº	Data	Placar	Adversário	Local	Fase	M	G	T/R
1	7/7/1998	1 x 1	Holanda	Marselha	Semifinal	120	0	T

Nos pênaltis: Brasil 4 x 2

total **120** minutos e **0** Gol
Vitória: 0 :: **Empate:** 1 :: **Derrota:** 0

ZÉ LUIZ (1930)

Nome: José Luiz de Oliveira
Nascimento: 16 de janeiro de 1904
Local: Rio de Janeiro (RJ)

Histórico na Copa

Nº	Data	Placar	Adversário	Local	Fase	M	G	T/R
1	20/7/1930	4 x 0	Bolívia	Montevidéu	Primeira	90	0	T

total **90** minutos e **0** Gol
Vitória: 1 :: **Empate:** 0 :: **Derrota:** 0

ZÉ MARIA (1970/1974)

Nome: José Maria Rodrigues Alves
Nascimento: 18 de maio de 1949
Local: Botucatu (SP)

Histórico na Copa

Nº	Data	Placar	Adversário	Local	Fase	M	G	T/R
1	26/6/1974	1 x 0	Alemanha Or.	Hanover	Semifinal	90	0	T
2	30/6/1974	2 x 1	Argentina	Hanover	Semifinal	90	0	T
3	3/7/1974	0 x 2	Holanda	Dortmund	Semifinal	90	0	T
4	6/7/1974	0 x 1	Polônia	Munique	Disputa 3º lugar	90	0	T

total **360** minutos e **0** Gol
Vitórias: 2 :: **Empate:** 0 :: **Derrotas:** 2

ZÉ ROBERTO (1998/2006)

Nome: José Roberto da Silva Júnior
Nascimento: 6 de julho de 1974
Local: São Paulo (SP)

Histórico na Copa

Nº	Data	Placar	Adversário	Local	Fase	M	G	T/R
1	3/7/1998	3 x 2	Dinamarca	Nantes	Quartas	3	0	R
2	13/6/2006	1 x 0	Croácia	Berlim	Primeira	90	0	T
3	18/6/2006	2 x 0	Austrália	Munique	Primeira	90	0	T
4	22/6/2006	4 x 1	Japão	Dortmund	Primeira	19	0	R
5	27/6/2006	3 x 0	Gana	Dortmund	Oitavas	90	1	T
6	1/7/2006	0 x 1	França	Frankfurt	Quartas	90	0	T

total **382** minutos e **1** Gol
Vitórias: 5 :: **Empate:** 0 :: **Derrota:** 1

ZÉ SÉRGIO (1978)

Nome: José Sérgio Presti
Nascimento: 8 de março de 1957
Local: São Paulo (SP)

Histórico na Copa
Nunca jogou

ZEQUINHA (1962)

Nome: José Ferreira Franco
Nascimento: 18 de novembro de 1934
Local: Recife (PE)

Histórico na Copa
Nunca jogou

ZETTI (1994)

Nome: Armelino Donizetti Quagliato
Nascimento: 10 de janeiro de 1965
Local: Capivari (SP)

Histórico na Copa
Nunca jogou

ZEZÉ PROCÓPIO (1938)

Nome: José Procópio Mendes
Nascimento: 12 de agosto de 1913
Local: São Lourenço (MG)

Histórico na Copa

N°	Data	Placar	Adversário	Local	Fase	M	G	T/R
1	5/6/1938	6 x 5	Polônia	Estrasburgo	Primeira	120	0	T
2	12/6/1938	1 x 1	Tchecoslováquia	Bordeaux	Quartas	14	0	T
3	16/6/1938	1 x 2	Itália	Marselha	Semifinal	90	0	T
4	19/6/1938	4 x 2	Suécia	Bordeaux	Disputa 3° lugar	90	0	T

total **344** minutos e **0** Gol
Vitórias: 2 :: **Empate:** 1 :: **Derrota:** 1

ZICO (1978/1982/1986)

Nome: Arthur Antunes Coimbra
Nascimento: 3 de março de 1953
Local: Rio de Janeiro (RJ)

Histórico na Copa

Nº	Data	Placar	Adversário	Local	Fase	M	G	T/R
1	3/6/1978	1 x 1	Suécia	Mar del Plata	Primeira	90	0	T
2	7/6/1978	0 x 0	Espanha	Mar del Plata	Primeira	83	0	T
3	11/6/1978	1 x 0	Áustria	Mar del Plata	Primeira	6	0	R
4	14/6/1978	3 x 0	Peru	Mendoza	Semifinal	20	1	R
5	18/6/1978	0 x 0	Argentina	Rosário	Semifinal	23	0	R
6	21/6/1978	3 x 1	Polônia	Mendoza	Semifinal	7	0	R
7	14/6/1982	2 x 1	União Soviética	Sevilha	Primeira	90	0	T
8	18/6/1982	4 x 1	Escócia	Sevilha	Primeira	90	1	T
9	23/6/1982	4 x 0	Nova Zelândia	Sevilha	Primeira	90	2	T
10	2/7/1982	3 x 1	Argentina	Barcelona	Quartas	83	1	T
11	5/7/1982	2 x 3	Itália	Barcelona	Quartas	90	0	T
12	12/6/1986	3 X 0	Irlanda do Norte	Guadalajara	Primeira	22	0	R
13	16/6/1986	4 x 0	Polônia	Guadalajara	Oitavas	21	0	R
14	21/6/1986	1 x 1	França	Guadalajara	Quartas	49	0	R

Nos pênaltis: França 4 x 3

total **764** minutos e **5** Gols
Vitórias: 9 :: **Empates:** 4 :: **Derrota:** 1

ZINHO (1994)

Nome: Crizam César de Oliveira Júnior
Nascimento: 17 de junho de 1967
Local: Rio de Janeiro (RJ)

Histórico na Copa

Nº	Data	Placar	Adversário	Local	Fase	M	G	T/R
1	20/6/1994	2 x 0	Rússia	San Francisco	Primeira	90	0	T
2	24/6/1994	3 x 0	Camarões	San Francisco	Primeira	75	0	T
3	28/6/1994	1 x 1	Suécia	Detroit	Primeira	90	0	T

4	4/7/1994	1 x 0	Estados Unidos	San Francisco	Oitavas	69	0	T
5	9/7/1994	3 x 2	Holanda	Dallas	Quartas	90	0	T
6	13/7/1994	1 x 0	Suécia	Los Angeles	Semifinal	90	0	T
7	17/7/1994	0 x 0	Itália	Los Angeles	Final	106	0	T

Nos pênaltis: Brasil 3 x 2

total **610** minutos e **0** Gol

Vitórias: 5 :: **Empates:** 2 :: **Derrota:** 0

ZITO (1968/1962/1966)

Nome: José Eli de Miranda
Nascimento: 8 de agosto de 1932
Local: Roseira (SP)

Histórico na Copa

Nº	Data	Placar	Adversário	Local	Fase	M	G	T/R
1	15/6/1958	2 x 0	União Soviética	Gotemburgo	Primeira	90	0	T
2	19/6/1958	1 x 0	País de Gales	Gotemburgo	Quartas	90	0	T
3	24/6/1958	5 x 2	França	Estocolmo	Semifinal	90	0	T
4	29/6/1958	5 x 2	Suécia	Estocolmo	Final	90	0	T
5	30/5/1962	2 x 0	México	Viña del Mar	Primeia	90	0	T
6	2/6/1962	0 x 0	Tchecoslováquia	Viña del Mar	Primeira	90	0	T
7	6/6/1962	2 x 1	Espanha	Viña del Mar	Primeira	90	0	T
8	10/6/1962	3 x 1	Inglaterra	Viña del Mar	Quartas	90	0	T
9	13/6/1962	4 x 2	Chile	Santiago	Semifinal	90	0	T
10	17/6/1962	3 x 1	Tchecoslováquia	Santiago	Final	90	1	T

total **900** minutos e **1** Gol

Vitórias: 9 :: **Empate:** 1 :: **Derrota:** 0

ZIZINHO (1950)

Nome: Thomaz Soares da Silva
Nascimento: 14 de junho de 1921
Local: Niterói (RJ)

Histórico na Copa

Nº	Data	Placar	Adversário	Local	Fase	M	G	T/R
1	1/7/1950	2 x 0	Iugoslávia	Maracanã	Primeira	90	1	T
2	9/7/1950	7 x 1	Suécia	Maracanã	Final	90	0	T
3	13/7/1950	6 x 1	Espanha	Maracanã	Final	90	1	T
4	16/7/1950	1 x 2	Uruguai	Maracanã	Final	90	0	T

total **360** minutos e **2** Gols
Vitórias: 3 :: **Empate:** 0 :: **Derrota:** 1

ZÓZIMO (1958/1962)

Nome: Zózimo Alves Calazães
Nascimento: 19 de junho de 1932
Local: Salvador (BA)

Histórico na Copa

Nº	Data	Placar	Adversário	Local	Fase	M	G	T/R
1	30/5/1962	2 x 0	México	Viña del Mar	Primeira	90	0	T
2	2/6/1962	0 x 0	Tchecoslováquia	Viña del Mar	Primeira	90	0	T
3	6/6/1962	2 x 1	Espanha	Viña del Mar	Primeira	90	0	T
4	10/6/1962	3 x 1	Inglaterra	Viña del Mar	Quartas	90	0	T
5	13/6/1962	4 x 2	Chile	Santiago	Semifinal	90	0	T
6	17/6/1962	3 x 1	Tchecoslováquia	Santiago	Primeira	90	0	T

total **540** minutos e **0** Gol
Vitórias: 5 :: **Empate:** 1 :: **Derrota:** 0

Estatísticas

TODOS OS NÚMEROS DA SELEÇÃO BRASILEIRA NA COPA DO MUNDO

Recordistas de jogos

Jogador	Posição	Copas	Partidas
Cafu	lateral	1994/1998/2002/2006	20
Ronaldo	atacante	1994/1998/2002/2006	19
Dunga	volante	1990/1994/1998	18
Taffarel	goleiro	1990/1994/1998	18
Roberto Carlos	lateral	1998/2002/2006	17
Jairizinho	atacante	1966/1970/1974	16
Bebeto	atacante	1990/1994/1998	15
Didi	armador	1954/1958/1962	15
Nílton Santos	lateral	1950/1954/1958/1962	15
Rivellino	armador	1970/1974/1978	15

Quem esteve mais tempo em campo

Jogador	Posição	Copas	Partidas	Minutos
Taffarel	goleiro	1990/1994/1998	18	1.680
Dunga	volante	1990/1994/1998	18	1.670
Cafu	lateral	1994/1998/2002/2006	20	1.637
Ronaldo	atacante	1994/1998/2002/2006	19	1.624
Roberto Carlos	lateral	1998/2002/2006	17	1.560
Jairizinho	atacante	1966/1970/1974	16	1.430
Didi	armador	1954/1958/1962	15	1.380
Nílton Santos	lateral	1950/1954/1958/1962	15	1.361
Rivaldo	atacante	1998/2002	14	1.266
Gilmar	goleiro	1958/1962/1966	14	1.260
Leão	goleiro	1970/1974/1978/1986	14	1.260
Pelé	atacante	1958/1962/1966/1970	14	1.260

Principais artilheiros

Jogador	Posição	Copas	Gols	Partidas	Média
Ronaldo	atacante	1994/1998/2002/2006	15	19	0,78
Pelé	atacante	1958/1962/1966/1970	12	14	0,85
Ademir Menezes	atacante	1950	9	6	1,50
Jairzinho	atacante	1966/1970/1974	9	16	0,56
Leônidas da Silva	atacante	1934/1938	8	5	1,60
Rivaldo	atacante	1998/2002	8	14	0,57
Careca	atacante	1986/1990	7	9	0,77
Bebeto	atacante	1990/1994/1998	6	15	0,40
Rivellino	armador	1970/1974/1978	6	15	0,40
Garrincha	atacante	1958/1962	5	12	0,41
Romário	atacante	1990/1994	5	8	0,62
Zico	atacante	1978/1982/1986	5	14	0,35

O artilheiro em cada copa

Ano	Jogador	G	P	M
1930	Preguinho	3	2	1,50
1934	Leônidas da Silva	1	1	1,00
1938	Leônidas da Silva	7	4	1,75
1950	Ademir Menezes	9	6	1,50
1954	Didi	2	3	0,66
	Julinho	2	3	0,66
	Pinga	2	2	1,00
1958	Pelé	6	4	1,50
1962	Garrincha	4	6	0,66
	Vavá	4	6	0,66
1966	Garrincha	1	2	0,50
	Pelé	1	2	0,50
	Rildo	1	1	1,00
	Tostão	1	1	1,00

Ano	Jogador	G	P	M
1970	Jairzinho	7	6	1,16
1974	Rivellino	3	7	0,42
1978	Dirceu	3	6	0,50
	Roberto Dinamite	3	5	0,60
1982	Zico	4	5	0,80
1986	Careca	5	5	1,00
1990	Careca	2	4	0,50
	Muller	2	4	0,50
1994	Romário	5	7	0,71
1998	Ronaldo	4	7	0,57
2002	Ronaldo	8	7	1,14
2006	Ronaldo	3	5	0,60

G – Gols
P – Partida
M – Média

Desempenho ofensivo

Ano	Gols	Partidas	Média
1930	5	2	2,50
1934	1	1	1,00
1938	14	5	2,80
1950	22	6	3,66
1954	8	3	2,66
1958	16	6	2,66
1962	14	6	2,33
1966	4	3	1,33
1970	19	6	3,16

Ano	Gols	Partidas	Média
1974	6	7	0,85
1978	10	7	1,42
1982	15	5	3,00
1986	10	5	2,00
1990	4	4	1,00
1994	11	7	1,57
1998	14	7	2,00
2002	18	7	2,57
2006	10	5	2,00
Total	**201**	**92**	**2,18**

O desempenho dos goleiros

Ano	Jogador	GS	P	M
1930	Joel	2	1	2,00
	Velloso	0	1	0
1934	Pedrosa	3	1	3,00
1938	Walter	4	3	1,33
	Batatais	7	2	3,50
1950	Barbosa	6	6	1,00
1954	Castilho	5	3	1,66
1958	Gilmar	4	6	0,66
1962	Gilmar	5	6	0,83
1966	Gilmar	3	2	1,50
	Manga	3	1	3,00

Ano	Jogador	GS	P	M
1970	Félix	7	6	1,16
1974	Leão	4	7	0,57
1978	Leão	3	7	0,42
1982	Waldir Peres	6	5	1,20
1986	Carlos	1	5	0,20
1990	Taffarel	2	4	0,50
1994	Taffarel	3	7	0,42
1998	Taffarel	10	7	1,42
2002	Marcos	4	7	0,57
2006	Dida	2	5	0,40
	Rogério Ceni*	0	1	0

* Jogou apenas 8 minutos na goleada de 4 a 1 sobre o Japão, em 22 de junho de 2006, em Dortmund, pela última rodada da primeira fase

GS – Gols Sofridos
P – Partidas
M – Média

Os treinadores

Ano	Técnico
1930	Píndaro de Carvalho
1934	Luís Vinhais
1938	Adhemar Pimenta
1950	Flávio Costa
1954	Zezé Moreira
1958	Vicente Feola
1962	Aymoré Moreira
1966	Vicente Feola
1970	Zagallo
1974	Zagallo
1978	Cláudio Coutinho
1982	Telê Santana
1986	Telê Santana
1990	Sebastião Lazaroni
1994	Carlos Alberto Parreira
1998	Zagallo
2002	Luiz Felipe Scolari
2006	Carlos Alberto Parreira

Os capitães

Ano	Jogador
1930	Preguinho
1934	Martim Silveira
1938	Martim Silveira e Leônidas da Silva
1950	Augusto
1954	Bauer
1958	Bellini
1962	Mauro Ramos
1966	Bellini e Orlando Peçanha
1970	Carlos Alberto Torres
1974	Piazza, Luís Pereira e Marinho Peres
1978	Rivellino e Leão
1986	Edinho
1990	Ricardo Gomes e Jorginho
1994	Raí, Jorginho e Dunga
1998	Dunga
2002	Cafu
2006	Cafu e Dida
2006	Carlos Alberto Parreira

Os clubes que cederam jogadores

Clube	Jogadores
Brasil	324

Clubes Convocados	Jogadores
Botafogo-RJ	46
São Paulo-SP	41
Vasco-RJ	33
Flamengo-RJ	32
Fluminense-RJ	29
Corinthians-SP	23
Palmeiras-SP*	23
Santos-SP	23
Atlético-MG	10
Cruzeiro-MG	10
CBD	9
Internacional-RS	9

Clubes Convocados	Jogadores
Grêmio-RS	7
Portuguesa-SP	6
Ponte Preta-SP	5
São Cristóvão-RJ	5
Bangu-RJ	4
América-RJ	3
Americano-RJ	1
Atlético-PR	1
Goytacaz-RJ	1
Guarani-SP	1
Ipiranga-RJ	1
Portuguesa Santista-SP	1

* Em 1938, o atacante Luisinho foi convocado como jogador do Palestra Itália-SP, que depois mudou o nome para Palmeiras.

Clube	Jogadores
Exterior	71

Clubes	País	J
Milan	Itália	6
Real Madrid	Espanha	6
Barcelona	Espanha	5
Bayer Leverkusen	Alemanha	5
Roma	Itália	5
Benfica	Portugal	4
Internazionale	Itália	4
Lyon	França	4
Bayern Munique	Alemanha	3
Fiorentina	Itália	2

Clubes	País	J
La Coruña	Espanha	2
Napoli	Itália	2
Paris Saint Germain	França	2
Porto	Portugal	2
Torino	Itália	2
Udinese	Itália	2
Arsenal	Inglaterra	1
Atlético de Madrid	Espanha	1
Bétis	Espanha	1
Bordeaux	França	1

Clubes	País	J
Hertha Berlim	Alemanha	1
Jubilo Iwata	Japão	1
Juventus	Itália	1
Olympique Marselha	França	1
Parma	Itália	1
PSV Indhoven	Holanda	1

Clubes	País	J
Reggina	Itália	1
Shimizu	Japão	1
Sporting	Portugal	1
Stuttgart	Alemanha	1
Yokohama Flugels	Japão	1

J - Jogadores

Clubes que mais cederam jogadores em cada Copa

Ano	Clube	Jogadores
1930	Botafogo-RJ	4
	Fluminense-RJ	4
1934	Botafogo-RJ	9
1938	Botafogo-RJ	5
	Fluminense-RJ	5
1950	Vasco-RJ	9
1954	Fluminense-RJ	4
	São Paulo-SP	4
1958	Flamengo-RJ	4
1962	Santos-SP	7
1966	Santos-SP	6
1970	Santos-SP	5
1974	Palmeiras-SP	6
1978	Ponte Preta-SP	3
	São Paulo-SP	3

Ano	Clube	Jogadores
	Vasco-RJ	3
1982	São Paulo-SP	4
1986	São Paulo-SP	5
1990	Vasco-RJ	5
1994	São Paulo-SP	4
1998	Barcelona (ESP)	2
	Botafogo	2
	Roma (ITA)	2
	Flamengo	2
	Milan (ITA)	2
	São Paulo-SP	2
2002	Corinthians-SP	3
	São Paulo-SP	3
2006	Real Madrid (ESP)	4

A campanha em cada mundial

Ano	PG	J	V	E	D	GF	GC	S	A%	C	P
1930	2	2	1	0	1	5	2	3	50%	6º	13
1934	0	1	0	0	1	1	3	-2	0%	14º	16
1938	7	5	3	1	1	14	11	3	70%	3º	15
1950	9	6	4	1	1	22	6	16	75%	2º	13
1954	3	3	1	1	1	8	5	3	50%	6º	16
1958	11	6	5	1	0	16	4	12	91,7%	1º	16
1962	11	6	5	1	0	14	5	9	91,7%	1º	16
1966	2	3	1	0	2	4	6	-2	33,3%	11º	16
1970	12	6	6	0	0	19	7	12	100%	1º	16
1974	8	7	3	2	2	6	4	2	57,1%	4º	16
1978	11	7	4	3	0	10	3	7	78,6%	3º	16
1982	8	5	4	0	1	15	6	9	80%	5º	24
1986	9	5	4	1	0	10	1	9	90%	5º	24
1990	6	4	3	0	1	4	2	2	75%	9º	24
1994	17	7	5	2	0	11	3	8	80,9%	1º	24
1998	13	7	4	1	2	14	10	4	61,9%	2º	32
2002	21	7	7	0	0	18	4	14	100%	1º	32
2006	12	5	4	0	1	10	2	8	80%	5º	32
Total	162	92	64	14	14	201	84	117			

Até 1990, a vitória valia dois pontos. A partir de 1994, passou a valer três

PG- Pontos ganhos
J -Jogos
V - Vitórias
E- Empates
D- Derrotas
GF - Gols a favor
GC - Gols contra
S - Saldo
A(%) - Aproveitamento
C - Colocação
P - Participantes

O Brasil versus... na Copa do Mundo

Seleção	J	V	E	D	GF	GC	S
Alemanha	1	1	0	0	2	0	2
Alemanha Or.	1	1	0	0	1	0	1
Argélia	1	1	0	0	1	0	1
Argentina	4	2	1	1	5	3	2
Austrália	1	1	0	0	2	0	2
Áustria	2	2	0	0	4	0	4
Bélgica	1	1	0	0	2	0	2
Bolívia	1	1	0	0	4	0	4
Bulgária	1	1	0	0	2	0	2
Camarões	1	1	0	0	3	0	3
Chile	2	2	0	0	8	3	5
China	1	1	0	0	4	0	4
Costa Rica	2	2	0	0	6	2	4
Croácia	1	1	0	0	1	0	1
Dinamarca	1	1	0	0	3	2	1
Escócia	4	3	1	0	7	2	5
Espanha	5	3	1	1	10	5	5
Estados Unidos	1	1	0	0	1	0	1
França	4	1	1	2	6	7	-1
Gana	1	1	0	0	3	0	3
Holanda	3	1	1	1	4	5	-1
Hungria	2	0	0	2	3	7	-4
Inglaterra	4	3	1	0	6	2	4
Irlanda do Norte	1	1	0	0	3	0	3
Itália	5	2	1	2	9	7	2
Iugoslávia	4	1	2	1	4	3	1
Japão	1	1	0	0	4	1	3
Marrocos	1	1	0	0	3	0	3
México	3	3	0	0	11	0	11
Noruega	1	0	0	1	1	2	-1
Nova Zelândia	1	1	0	0	4	0	4

O Brasil versus... na Copa do Mundo

Seleção	J	V	E	D	GF	GC	S
País de Gales	1	1	0	0	1	0	1
Peru	2	2	0	0	7	2	5
Polônia	4	3	0	1	13	7	6
Portugal	1	0	0	1	1	3	-2
Romênia	1	1	0	0	3	2	1
Rússia	1	1	0	0	2	0	2
Suécia	7	5	2	0	21	8	13
Suíça	1	0	1	0	2	2	0
Tchecoslováquia	5	3	2	0	10	4	6
Turquia	2	2	0	0	3	1	2
União Soviética	2	2	0	0	4	1	3
Uruguai	2	1	0	1	4	3	1
Zaire*	1	1	0	0	3	0	3

* Atual República do Congo

PG- Pontos ganhos
J -Jogos
V - Vitórias
E- Empates
D- Derrotas
GF - Gols a favor

GC - Gols contra
S - Saída
A(%) - Aproveitamento
C - Colocação
P - Participantes

A força da torcida

Ano	Público	Jogos	Média
1930	6.200	2	3.100
1934	21.000	1	21.000
1938	99.000	5	19.800
1950	731.618	6	121.936
1954	93.000	3	31.000
1958	215.583	6	35.930
1962	207.406	6	34.567
1966	171.487	3	57.162
1970	383.090	6	63.848

Ano	Público	Jogos	Média
1974	370.063	7	52.866
1978	280.410	7	40.058
1982	246.379	5	49.275
1986	244.748	5	48.949
1990	244.518	4	61.129
1994	575.376	7	82.196
1998	383.266	7	54.752
2002	327.079	7	46.725
2006	316.000	5	63.200
Total	4.916.223	92	53.437

Os cinco maiores públicos

Data	Placar	Adversário	Fase	Estádio	Cidade	Público
16/7/1950	1 x 2	Uruguai	Final	Maracanã	Rio de Janeiro	173.850
13/7/1950	6 x 1	Espanha	Final	Maracanã	Rio de Janeiro	152.772
1/7/1950	2 x 0	Iugoslávia	Primeira	Maracanã	Rio de Janeiro	142.429
9/7/1950	7 x 1	Suécia	Final	Maracanã	Rio de Janeiro	138.886
2/7/1970	4 x 1	Itália	Final	Azteca	Cidade do México	107.412

Os cinco menores públicos

Data	Placar	Adversário	Fase	Estádio	Cidade	Público
20/7/1930	4 x 0	Bolívia	Primeira	Centenário	Montevidéu	1.200
14/7/1930	1 x 2	Iugoslávia	Primeira	Parque Central	Montevidéu	5.000
30/5/1962	2 x 0	México	Primeira	Sausalito	Viña del Mar	10.484
19/6/1938	4 x 2	Suécia	Disputa 3º lugar	Parc Lescure	Bordeaux	12.000
5/6/1938	6 x 5	Polônia	Primeira	Meinau	Estrasburgo	13.000

Todas as expulsões

Data	Placar	Adversário	Local	Fase	Jogador expulso
12/6/1938	1 x 1	Tchecoslováquia	Bordeaux	Quartas	Machado
12/6/1938	1 x 1	Tchecoslováquia	Bordeaux	Quartas	Zezé Procópio
27/6/1954	2 x 4	Hungria	Berna	Quartas	Nílton Santos
27/6/1954	2 x 4	Hungria	Berna	Quartas	Humberto Tozzi
13/6/1962	4 x 2	Chile	Santiago	Semifinal	Garrincha
3/7/1974	0 x 2	Holanda	Dortmund	Semifinal	Luiz Pereira
24/6/1990	0 x 1	Argentina	Turim	Oitavas	Ricardo Gomes
4/7/1994	1 x 0	Estados Unidos	San Francisco	Oitavas	Leonardo
26/6/2002	2 x 1	Inglaterra	Shizuoka	Quartas	Ronaldinho Gaúcho

REFERÊNCIAS BIBLIOGRÁFICAS

ANUÁRIO PLACAR. São Paulo, 2003 e 2004
ASSAF, Roberto; MARTINS, Clóvis. Almanaque do Flamengo. Editado pela revista Placar. São Paulo, 2001.
BAGGIO, Luiz Fernando. Copas do Mundo: Histórias e Estatísticas. Rio de Janeiro: Axcel, 2005.
COSTA, Alexandre da. Almanaque do São Paulo. Editado pela revista Placar. São Paulo, 2005.
DUARTE, Marcelo. Guia dos Craques. Editado pela revista Placar. São Paulo, 2000.
ENCICLOPÉDIA DO FUTEBOL BRASILEIRO. Publicação do jornal Lance!. São Paulo, 2001.
GEHRINGER, Max. A Saga da Jules Rimet. Série de publicações editadas pela revista Placar. São Paulo, 2006.
GLANVILLE, Brian. O Brasil na Copa do Mundo. Rio de Janeiro: Cia. Gráfica Lux, 1973.
NAPOLEÃO, Antônio Carlos; ASSAF, Roberto. Seleção Brasileira: 1914-2006. Rio de Janeiro: Mauad, 2006.
REVISTA PALCAR. Várias edições.
RIBEIRO, Henrique. Almanaque do Cruzeiro. Belo Horizonte: [s.e.], 2007.
SANTIAGO JR., José Sátiro; Carvalho, Gustavo Longhi de. Copas do Mundo: Das Eliminatórias ao título. São Paulo: Novera, 2006.
SOTER, Ivan; FONTENELLE, André; SCHWARTZ, Mário Levi; WOODS, Dennis; STORTI, Valmir. Todos os jogos do Brasil. São Paulo: Editora Abril, 2006.
SOTER, Ivan. Enciclopédia da Seleção: As Seleções Brasileiras de Futebol - 1914-2002. Rio de Janeiro: Folhe Seca, 2002.
TODAS AS COPAS DE 1930 A 2002. Publicação do jornal Lance!, São Paulo, 2002.
UNZELTE, Celso. O Livro de Ouro do Futebol. São Paulo: Ediouro, 2002.
UNZELTE, Celso Dario; VENDITTI, Mário Sérgio. Almanaque do Palmeiras. Editado pela revista Placar. São Paulo, 2004.
UNZELTE, Celso. Almanaque do Corinthians. 2 ed. Editado pela revista Placar. São Paulo, 2005.

SITES

Site da Federação Internacional de Futebol Associado (Fifa). Disponível em: <www.fifa.com>. Acesso em 30 mar. 2010.
Site da Confederação Brasileira de Futebol. Disponível em: <www.cbfnews.com.br>. Acesso em 30 mar. 2010.